Mulheres
de Aço e de Flores

CARO LEITOR,

Queremos saber sua opinião sobre nossos livros.
Após sua leitura, acesse nosso *site* (www.editoragente.com.br),
cadastre-se e contribua com sugestões, críticas ou elogios.
Boa leitura!

Fábio de Melo

Mulheres de Aço e de Flores

Gente editora

Editora
Rosely M. Boschini
Coordenação editorial
Fernando Fernandes
Assistência editorial
Rosângela Barbosa
Produção
André Medella
Preparação
Catarina Ruggeri
Projeto gráfico
Neide Siqueira
Editoração
Join Bureau
Capa
RS2 Comunicação
Foto da capa
Beata Swiderek
Revisão
Miriam de Carvalho Abões

Rua Pedro Soares de Almeida, 114
São Paulo, SP - CEP 05029-030
Telefone: (11) 3670-2500
Site: http://www.editoragente.com.br
E-mail: gente@editoragente.com.br

Dados Internacionais de Catalogação na Publicação (CIP)
(Câmara Brasileira do Livro, SP, Brasil)

Melo, Fábio de
Mulheres de aço e de flores / Fábio de Melo — São Paulo : Editora Gente, 2008.

ISBN 978-85-7312-610-5

1. Contos brasileiros I. Título.

08-06279 CDD-869.93

Índices para catálogo sistemático:
1. Contos : Literatura brasileira 869.93

Mulher, ó mulher. Pudesse eu recomeçar este mundo,
inventaria de criar-te primeiro, e somente
depois retiraria Adão de tuas costelas.

Para Maria José Procópio, mulher que reconcilia na carne a força dos metais e a fragilidade das flores.

Agradecimentos

Agradeço a Gabriel Chalita, por ter me convencido a colocar na janela os bordados de minhas inspirações.

Sumário

Prefácio

Padre e homem

Conheci o padre Fábio de Melo entre amigos sem ter a menor idéia de que se tratava de um religioso. O olhar firme e o tom de voz suave me fizeram perceber que se tratava de alguém especial. Acostumado aos padres da minha infância, que vestiam batina ou se trajavam no mínimo completamente de preto, fiquei surpreso ao saber de quem se tratava. Surpreso, mas também feliz. Pois, por tê-lo conhecido dessa maneira, pude perceber o ser humano mais do que qualquer outra coisa. Fiquei fascinado ao constatar que, ao contrário de tantos religiosos que se fecham para o mundo, padre Fábio convive com os problemas humanos, o que lhe dá uma dimensão mais ampla da vida e, porque não dizer, armas mais eficientes para nos abençoar com ternura.

Essa percepção do ser humano está presente neste seu livro *Mulheres de aço e de flores*. Já o título fala do autor, pois embora sua convicção religiosa seja de aço, a maneira como conversa, aconselha e participa de nossas vidas é suave.

É interessante notar que os retratos femininos abordados são de pessoas comuns, em situações universais, como a mulher na rodoviária que se deixa levar pela própria imaginação ou a costureira que reflete sobre seu ofício e suas freguesas. Pessoas de quem, provavelmente, em algum momento da vida, o padre esteve próximo. Pessoas cuja existência se pode sentir como fato real e cujas vidas, mesmo pequenas, ganham grandeza graças à capacidade de interiorização do autor.

Mais fascinante que tudo é não se tratar de um livro religioso. Mesmo no conto da atéia, o escritor explora as contradições tão comuns à alma brasileira. São personagens descritos com franqueza. E, apesar disso, contradizendo minhas próprias palavras, o livro só poderia ser escrito por alguém como ele, de alma profundamente católica. Não é religioso na medida em que não se propõe a divulgar a fé, e que pode ser lido e interessar ao leitor de qualquer crença. Mas expressa uma compreensão que só alguém voltado para as questões internas do ser humano é capaz de ter.

É maravilhoso sentir como padre Fábio ama o ser humano e suas "mulheres de aço e de flores". Ler este livro é como receber um abraço.

WALCYR CARRASCO
Autor de livros, peças teatrais, roteiros e novelas de televisão, é cronista da revista *Veja São Paulo*

A donzela e a luz roubada

O que sei de mim, pela força da saudade, por vezes, me esqueço. A penumbra de minha alma não é sem razão, assim como tudo na vida. Nada é por acaso, e essa sabedoria milenar me acompanha.

Estou esquisita. Ando sem paciência com a Florípedes do compadre Zé Bala. Vira-e-mexe vem ela pedir mantimentos para colocar na cesta básica que prepara para os pobres da Vila Colorida. Ela é tão enjoada que eu chego a pegar implicância dos pobres.

Cada doido com sua mania. Eu tenho as minhas, mas não conto. Tenho medo de me sentir frágil por me expor. Contar as fraquezas é uma forma de virar vítima.

Fico corada só de imaginar que alguém possa descobrir os meus desejos mais secretos. Aprendi muito cedo que o desejo é o rosto do pecado. Qualquer forma de alegria já é agravo contra Deus. Olho para os santos e descubro essa verdade de séculos. Não há sorriso nessas imagens. Não há espaço para manifestações felizes nos altares. A vida santa é dor, é calvário, é sacrifício.

Minha falecida mãe já dizia que a quaresma é o tempo dos santos. O que comove Deus são joelhos esfolados e boca seca de jaculatórias, falas cansadas repetindo clamores.

Semana Santa tinha cheiro de manjericão e arruda. O roxo nos altares cobria as imagens. Uma tristeza superior sobrepunha-se às costumeiras. A banda municipal entoava marcha fúnebre, enquanto a procissão arrastava-se em longa e prolongada tristeza. Sofríamos por tudo. Pelo real, pelo imaginário. Chorávamos por todas as causas. Coletivas e particulares. Catarse pública, sem necessidade de explicações. Choros calados, represados ao longo do ano. Sofrimentos escusos, secretos, vergonhosos. A agonia do crucificado justificava qualquer forma de lamento.

Eu mesma já chorei muito na procissão do encontro, aquele momento dramático em que a Virgem das Dores depara com o filho e seu algoz, por razões que tenho vergonha de contar, mas conto.

Enquanto a multidão chorava pelas razões religiosas que aquele encontro sugeria, eu soluçava era por meu amor não correspondido.

É quase uma blasfêmia eu confessar isso, mas essa era a verdade. Queria morrer de tanta culpa. Ao invés de pensar no sofrimento da mãe de Deus e de contemplar misticamente os últimos passos de Cristo na terra, eu ficava era remoendo o desprezo do Zé Raimundo.

A espada que transpassava o coração da Virgem Maria também feria o meu. Por razões diferentes, mas feria. Também eu tinha lágrimas de sangue rolando dentro de mim.

Por diversas vezes, também quis ser levada no andor. Sentia-me merecedora de compaixão e de cortejo. Também eu era uma virgem desolada, condenada a viver o calvário da solidão. É claro que nunca manifestei publicamente esse absurdo, mas Deus sabe quanto desejei isso!

Nunca vi alguém ser considerado santo porque amou demais. Não falo de amor aos doentes, de caridade, solidariedade com os aflitos. Falo é de amor carnal, desejo incontrolável de viver ao lado, dormir entrelaçado e realizar coisas proibidas para menores de 18 anos.

Talvez seja por isso que eu tenha desistido da santidade. Quando pensava no Zé Raimundo eu perdia a fé em Deus, esquecia o sexto mandamento e me descobria na condição de degradada filha de Eva. Eu não queria amá-lo só espiritualmente, como ensinava padre Dilermano em seus ensinamentos catequéticos.

Queria era o seu abraço de homem, o seu cheiro de colônia requintada e sua voz dizendo coisas impróprias no meu ouvido. Nunca senti isso com mais ninguém.

O Zé Raimundo foi o único homem que me despertou os instintos mais vergonhosos. E mesmo hoje, distante do tempo em que o vi pela primeira vez, mesmo preservada numa castidade que já dura mais de meio século, ainda o desejo com os mesmos calores da juventude.

Foi desde a primeira vez que o vi. Quando ele entrou pela porta da minha casa eu descobri que a vida valia a pena. Ele não veio porque quis. Papai o contratou para fazer uns reparos na fiação da cozinha. Era uma manhã iluminada de setembro, o dia era 13, o ano eu quis esquecer.

Usava calças marrons e camisa que não pus atenção. Só não me esqueço do pequeno corte na altura do queixo, coisa de quem se distrai nos reparos finais do barbear.

Sua voz era grave e as palavras eram poucas. Comentou que trocaria a boquilha da lâmpada, falou-me sobre os perigos das inúmeras emendas que o antigo eletricista deixara. Depois de hora e meia de serviço ele se foi e levou com ele a minha luz.

Nunca mais o tive por perto. Sempre o enxergava à distância. Vez ou outra eu o via passar com Diolinda, a namorada a quem amava fielmente. Vê-los de mãos dadas na praça do coreto era o mesmo que ser esfaqueada em público. Graças a Deus nunca presenciei um carinho mais ousado entre os dois, e isso eu sei que não suportaria sem sofrer um ataque de nervos.

Guardei o meu coração minha vida inteira. Nunca o expus aos namoros nas praças. Papai insistia em me ajeitar um casamento com o filho mais novo do Aristides Rodarte, mas eu não deixava a conversa ganhar mais de três palavras. Minha mãe preferiu não insistir. De alguma forma, ela sabia que eu amava um amor proibido. Nunca quis saber o nome.

De vez em quando ela me encontrava chorando diante da imagem de Santo Antônio, e dizia-me: – O sofrimento santifica a alma, minha filha! –. E eu respondia aos soluços: – Eu sei mãe, eu sei, eu sei!

No dia do casamento do Zé Raimundo ardi em febre. Trancada no meu quarto, ouvia meu pai perguntar à minha mãe: – A Maria das Dores não vai à cerimônia com a gente? –. Minha mãe prontamente respondeu: – Ela não tem razão pra ir, nem conhece o rapaz!

Pronto, ali estava a razão exata da minha dor. O homem da minha vida não sabia quem eu era. Não faria diferença a minha presença. Não lhe traria nenhum desconforto o meu olhar desconsolado, nem mesmo uma angústia, fruto das possibilidades, lhe ocorreria naquele, momento. Para ele, só havia uma mulher, e não era eu.

Já se passaram 43 anos. O casamento do Zé Raimundo lhe rendeu seis filhos: quatro homens e duas mulheres. Já são oito netos.

Eu continuo casta. Os calores do meu corpo ainda não se despediram de mim. Sou mulher inteira. Ainda continuo acompanhando as procissões da Semana Santa. Ainda arrasto pelas ladeiras da minha cidade as dores que ainda insistem em doer em mim. Na procissão do encontro, ainda choro pelas mesmas causas de antes. Sou antiga no corpo e na alma. Amor que não deitou na cama sempre nos põe de joelhos, porque não há força humana que possa socorrer um coração que sofre por ser rejeitado.

Quero é um oratório para eu rezar sozinha. Quero é uma procissão para ir atrás, um velório onde possa chorar sem ter de explicar a razão do meu choro. Uma ladainha para repetir outros nomes que não seja Zé Raimundo. Só me faltava isso! Um santo com esse nome! Ter de dizer no meio da reza: São Zé Raimundo, rogai por mim! Rogai para que cesse esse amor corrosivo, esse desconforto na carne. Rogai para que o eletricista me devolva a luz roubada.

Ó meu Deus, ó meu Pai! Antes não tivesse consertado aquela fiação. Antes o perigo do curto-circuito, a boquilha defeituosa, a manhã de setembro no esquecimento, e a eterna reclamação da minha mãe, insistindo que a fiação da cozinha precisava de reparos.

Talvez assim eu tivesse me tornado freira, descoberto o valor do rosto triste, da tristeza sem amarguras, do corpo casto e da alma sem desejos. Talvez assim eu não passasse dias e noites parada nessa estação, esperando por um trem que não vem, que já se foi e não retorna, que já deslizou nos trilhos numa direção que não é a minha.

Talvez assim eu não tomasse implicância dos pobres da Vila Colorida e contribuísse feliz com um pacote de arroz para a cesta básica que a Florípedes organiza.

Talvez assim eu descobrisse a beleza da manhã da ressurreição, quando já não há cadáver para ser chorado nem cheiro de manjericão e arruda para simbolizar nosso sofrimento quaresmal.

Outro dia encontrei o Zé Raimundo na padaria do Olegário. Há muito não o via. Eu estava entrando, e ele saindo. Educadamente me desejou bom-dia. Minha boca secou e eu não pude responder. Depois daquela manhã de setembro foi a única vez que ouvi novamente o tom grave de sua voz. Nos poucos encontros que tivemos ao longo da vida, nunca o som. Sempre o silêncio que é próprio de quem não se conhece. Mas ali, na porta da padaria, a vida o colocou na necessidade de um cumprimento, uma gentileza comum, regra de boa convivência, que um cavalheiro como ele sabe cumprir. Outrora a voz falava de boquilha, fiação, interruptores. Agora, 43 anos depois, desejava-me bom-dia, e só.

Quase precisei de uma cadeira para sentar. Olegário percebeu a minha palidez e perguntou se estava me sentindo bem. A vontade era de gritar que eu estava com sintomas de paixão recolhida, mas faltou coragem, faltou boca pra dizer.

Só acenei que não precisava se preocupar comigo. O resto foi silêncio misturado com pão, margarina e um pacote de leite que saí carregando, ainda com as pernas bambas.

Eu não sei o que será de mim. Não espero muita coisa da vida. Santa eu sei que não serei. Tenho desejos demais para caber num andor. Casamento eu não quero. Respeito o Zé Raimundo até nos pensamentos. Sou só dele. Ser freira é sonho que deixei de cultivar no momento em que ajudei a segurar aquela escada para que o Zé pudesse subir. As calças marrons tão próximas dos meus olhos me fizeram desistir do hábito triste que as Filhas da Piedade usam até hoje.

Dificuldades eu não possuo. Tenho essa casa bem localizada, umas economias deixadas pelo meu finado pai, o suficiente para manter o nome fora do Serviço de Proteção ao Crédito.

O que tenho é quase nada, mas seguro com as duas mãos. Tenho uma crença danada nessa boneca dorminhoca que fica em cima da minha cama. Ela sabe tudo de mim.

Guardo com muito zelo esse jogo de porcelana que minha mãe sempre usava quando recebíamos visitas ilustres.

Na segunda gaveta da cômoda eu tenho um relógio de bolso onde meu pai observou as horas, até o dia em que o infarto o levou de mim.

Tenho uns três vestidos de fazenda com mais qualidade e uns quatro que uso no meu dia-a-dia. Tenho uma caixa de pó de arroz que tem a idade das minhas esperanças. Comprei-a para usar no dia em que Zé Raimundo me convidasse para um passeio na praça do coreto com ele.

Ainda não pude abri-la, mas continua guardada. Nunca se sabe! As esperanças duram o mesmo tanto que o amor.

Tenho também uma chaleira que é um dengo. Ela fica em cima da cristaleira, logo na entrada da cozinha. Guardo também as primeiras peças que minha mãe bordou para o meu enxoval. Vez ou outra eu as coloco ao sol para que não sofram ainda mais os malefícios do tempo.

Quase nada mudou nesta casa. E bom que seja assim. A boquilha da cozinha ganhou o apelido de sacramento. Passo horas e horas olhando pra ela. Nunca deu um enguiço essa danada! O serviço foi muito bem realizado.

Mas como nem tudo na vida é eterno, espero ansiosa pelo dia em que ela apresente um defeito, a necessidade de um reparo.

Só então terei a coragem de chamar um eletricista para revisar essa fiação antiga. Quem sabe assim ele retorne com suas calças marrons e me devolva a luz roubada.

A primavera

Eles eram dois. O mais velho era também o mais robusto, o mais vistoso, o mais alto. Trajava roupas de acabamento fino, pisava o chão com sapatos visivelmente caros e demonstrava intimidade com as palavras. O mais novo era também o mais tímido. O corte do terno não merecia atenção. Nele, um mínimo de palavras. O olhar baixo, quase sem expressão. As mãos no desajeito, mãos sem pertences, sem futuro feliz e as pernas num balanço descompassado, denunciando que não gostariam de ter chegado. O sapato era sem nenhum atrativo estético. Um sapato feito para durar e só.

O mais velho tinha bigodes. O mais novo não. A cara limpa lhe conferia um jeito de rapaz que ainda não sabia o que esperar da vida. O bigode do outro lhe trazia uma seriedade que parecia garantir a prontidão para o casamento. Talvez seja por isso que papai o tenha escolhido para ser meu marido.

Numa tarde de domingo, quando os ventos frios prolongavam o sepultamento das cigarras, chegou e anunciou que eu me casaria com o filho mais velho de Estevão Bittencourt. Disse que o rapaz voltaria de São Paulo para arrumar uma mulher que lhe dispensasse os cuidados de esposa. Eu ouvi a notícia calada, e calada permaneci por uma semana.

Dois meses depois, quando o calor de agosto ardia nas cores vermelhas das tardes e intimidava minhas caminhadas pelo coreto da matriz, o dito rapaz chegou e trouxe o irmão mais novo, Alberto.

Quando os dois homens cruzaram a soleira da porta principal, senti as carnes se desprendendo dos meus ossos; sensação que parecia antecipar o meu destino de ser imaterial, de perder-me nas poeiras do mundo. O olhar perdido, sem distinção e ainda cheio de dúvidas, durou um minuto. Eu olhava os dois e não sabia qual deles seria o meu marido. Embora o mais velho fosse portador de uma postura avantajada e ocupasse a centralidade da sala, os meus olhos se ocuparam foi do mais moço, o mais franzino, que timidamente encostou o corpo na cristaleira próxima da janela da sala.

O sorriso do mais velho falou no mesmo instante que as palavras de meu pai. Os meus olhos, porém, estavam perdidos em Alberto que, ao seu modo, também me olhava. Um olhar quase triste, assustado, como se percebesse a fatalidade que parecia ter o seu início ali. Fatalidade em partes, dia a dia, prolongada no tempo.

O mais alto dirigiu-se até mim e gentilmente beijou-me a mão. No gesto de abaixar-se com cavalheirismo, pude ver os olhos de Alberto que, posicionado na mesma direção de seu irmão, parecia emprestar-lhe o rosto. O corpo que se abaixava dava espaço para eu ver os olhos que me fascinavam. Enquanto eu recebia o beijo de um, o coração desejava o beijo do outro.

Eles eram dois. O meu coração era um só. Indiviso, experimentava naquela fração de tempo a totalidade de um amor sem história pregressa. Um amor maturado, mas sem passado. Inaugurado há tão pouco tempo e já fadado à desgraça que marcou os grandes amores que a humanidade já conheceu. – É possível amar alguém assim, com tanta pressa? – pensei. Mas não havia pensamento a ser racionalizado. O que havia era o frio na espinha anunciando que a vida era eterna naquele instante. O que havia era o coração descompassado, querendo pular do peito, pronto para morrer de tanto amar.

Naquela noite o mais velho oficializou o pedido ao meu pai. E enquanto os cumprimentos de congratulações aconteciam, pude perceber a enfermidade nos lábios de Alberto. Dele, nenhuma palavra se ouviu. Entrou mudo. Calado saiu. Eu também não disse nada.

Os dias se passaram. Acumularam-se os meses. Com regularidade, o irmão mais velho vinha cortejar-me. Cumpria-se a obrigação do namoro, o tempo reservado ao conhecimento que nos autoriza o passo definitivo. Não houve conhecimento algum. Apenas a dor de saber-me só. Um beijo de chegada e outro de despedida. Um beijo sem alma, sem profundidade. Apenas o roçar dos lábios em exercício de caridade. Nenhum toque me despertava os sentidos. Meu corpo preservado não sabia desejar aqueles braços fortes. Ele suplicava era pelo encosto suave das mãos de Alberto.

O mais velho era advogado renomado. O mais novo ocupava o seu tempo como atendente na Tabacaria Domênica. Sempre que podia, eu arriscava atravessar a Rua Domingos de Freitas para observar as miudezas da vitrine. Era ali que nossos olhos se encorajavam para o pecado do encontro. Não havia dissimulação. A vitrine nos congregava. Era como se ela tivesse o poder de nos proteger da culpa. Não havia palavras. Dizíamos tudo com os olhos. Eu pedia perdão por não ter coragem de enfrentar meu pai. Ele perdoava. Ele pedia que eu compreendesse sua incapacidade de trair o seu irmão. Eu compreendia. Eu jurava amá-lo até o fim dos meus dias. Ele confirmava o juramento.

Numa manhã de sexta-feira, dia em que a alma parece querer mais que o comum de todos os dias, Alberto surpreendeu-me com um gesto quase cheio de voz. Vendo que eu atravessava a rua para ficar diante da vitrine da tabacaria, correu, estendeu os braços para dentro da vitrine e retirou um retalho de tecido, deixando à mostra um coração de chocolate que tinha uma tira de cetim carmim com os seguintes dizeres: "Amo você e vou amar por toda a minha vida!". Eu sorri. Ele também. Um sorriso único, dado ao mesmo tempo, cheio de tristeza.

Os meses avançavam. Minha mãe cuidava dos preparativos para o casamento. No dia de experimentar o vestido eu emprestei meu corpo. Olhei-me no espelho e quis o esquecimento da vida. A imagem refletida era uma traição à verdade mais oculta. Eu, por fora, vestida de branco, pronta para o altar e suas festividades, mas, por dentro, viúva, mergulhada no descontentamento de ter sepultado o homem que amava, mesmo antes de ele morrer.

Eu queria a condenação pública, o suplício das penitências, a culpa por assassinato premeditado, o cárcere, a comida amanhecida, o frio da cela, o desprezo de todos.

Quando setembro alvoreceu e demonstrou seu poder de florir a terra árida, quando o alarido das cigarras anunciava a despudorada busca pelo amor, coloquei a grinalda na cabeça e adentrei a matriz de Santana dos Cristais.

O dia era triste, tal qual a terra árida que a primavera teimava em florescer. Meu sorriso era mudo tal qual o corrimão onde padre Isidoro escorava o corpo vencido pelas artroses. Havia uma atitude vergonhosa se concretizando em mim.

Um passo incerto e absolutamente contraditório às razões mais ocultas do coração conduziram-me aos braços do filho mais velho de Estevão Bittencourt.

Quem me dera extrair coragem, a mesma que convencia a terra árida a deixar-se colmar de cores, e unir meu canto ao canto das cigarras ressurretas para gritar em alto e bom som que o meu coração já tinha dono, e que eu gostaria de trocar a grandeza do filho mais velho pela fraqueza do mais moço. Haveria algum problema para o meu pai? Só trocaria um pelo outro. Eu me casaria do mesmo jeito. As conseqüências, saberia vivê-las com imensa felicidade. A vida simples, a casa de aluguel, a necessidade de trabalhar para ajudar Alberto com as despesas. Duas ou três mudas de roupa, as mãos grossas, o cansaço ao fim do dia. A vida, e só. O amor completa os espaços. Supre a carência, suplanta os temores. Mas a coragem não veio. O sim entre dentes confirmou minha covardia e desde então a desesperança tornou-se minha companheira de toda hora.

Na segunda-feira, quando os últimos convidados retornaram às suas origens, recebi a notícia de que Alberto fizera suas malas para acompanhar seu tio, Jordano Bittencourt, proprietário de grande quantidade de terras em Rondônia. Não houve tempo para despedidas. Apenas a notícia impressa em poucas palavras em um bilhete que dizia: – Será mais fácil assim.

Mas não foi. Os dias passavam por mim com seu poder de demorar mais que o comum. Os primeiros meses, distante de Alberto, mediam anos e anos. O choro silencioso, abafado nos travesseiros, era um ritual que eu cumpria diariamente.

Os anos se passaram. Vinte e cinco primaveras floriram religiosamente. Os outonos e invernos cumpriam o destino de sepultar as cigarras. Vez ou outra meu coração, sepultado e sem a esperança da primavera, sofria das mesmas angústias do tempo da mocidade. Alberto nunca mais voltara a Santana dos Cristais. Nunca soube nada do seu paradeiro. Meu marido nunca desconfiou das tristezas do meu coração. Consolou-se na convicção de que havia se casado com uma mulher triste, uma cigarra sepultada e sem canto. Guardei meu segredo debaixo das terras ressequidas do meu coração e resolvi esperar pela absolvição que nunca veio.

Quando setembro começava a mostrar os primeiros sinais de que a terra venceria mais uma vez os castigos do inverno, quando a ciranda do tempo acenava para a chegada da estação das flores, meu marido recebeu a notícia de que, há mais de cinco anos, Jordano Bittencourt, seu tio, havia morrido. Vítima de uma febre misteriosa, não deixara herdeiros. Solteiro, dividia a vida e os trabalhos com o sobrinho, Alberto. O motivo da notícia não era comunicar a morte do tio, mas sim a enfermidade do irmão mais novo.

Sozinho naquelas terras, Alberto estava tuberculoso e sem ninguém que lhe dispensasse cuidados. Era o único irmão. Com os pais já falecidos, restava ao meu marido a responsabilidade de tomar as devidas providências.

Numa daquelas tardes de primavera prenunciada, olhou-me com receios e perguntou-me se eu me importaria em ajudar a cuidar de seu irmão mais novo. Com o coração batendo na boca e sem nenhuma condição de falar, limitei-me a responder sem palavras.

Quando amanheceu o dia 22 de setembro, data que marcava o início da primavera, o carro vindo de tão longe parou à porta de minha casa. Um ruído seco de malas de couro era a trilha que acompanhava a cena. Eu, de pé, parada à janela principal, e com o rosto entre as cortinas, procurei enxergar o que o coração viu a vida inteira, mesmo na ausência.

Alberto estava ainda mais franzino. O rosto envelhecido conservava o aspecto de menino solitário. O terno simples, os sapatos sem luxo e o chapéu reservado para ocasiões, conferiam-lhe a mesma simplicidade que acelerou mais o coração naquela tarde tão distante no tempo. O meu homem estava ali, à soleira da minha porta, como se a vida repetisse naquele instante o passado, chegando ao lado de seu irmão, o filho mais velho de Estevão Bittencourt, o filho que ainda era o mais vistoso, robusto e tão cheio de vantagens sobre o mais moço.

A porta foi reaberta no mesmo instante em que reabri meu coração. Alberto me olhou sem medo. A enfermidade e a iminência da morte pareciam-lhe revestir de coragem. Um olhar sem pressa, profundo, como se quisesse reconhecer um território antigo e de preciosas esperanças. Firmei meus olhos nos seus. O primeiro olhar sem a vitrine entre nós. Um olhar demorado, como se quiséssemos recolher no tempo passado as manhãs amanhecidas na distância, os filhos não fecundados, os beijos renunciados e as palavras que nunca foram pronunciadas. Um olhar que parecia escancarar o túmulo onde sepultei minha alegria. E depois do olhar, o sorriso. O único depois daquela manhã de sexta-feira, quando a vitrine ainda encorajava o amor oculto, proibido. Um sorriso autorizado pelo tempo e pela distância.

Segurei Alberto pela mão. Disse que era bom recebê-lo em minha casa. Sua resposta foi um sorriso tímido, molhado por uma lágrima silenciosa que meu marido não viu.

A necessidade do repouso fez com que Alberto passasse os dias sem sair de casa. Ficava na sala comigo. Eu bordava enquanto ele me contava os detalhes da vida vivida na solidão em Rondônia. Meu marido trabalhava. Nunca houve um desrespeito entre nós. Sabíamos que não tínhamos o direito de ultrapassar os limites das palavras. Nós nos amávamos na solidão da carne, no silêncio das intenções. Não havia toques, senão os inusitados, ocorridos na entrega de um prato de sopa ou até mesmo numa ajuda para chegar até o quarto. Para mim não importava. Eu havia aprendido que o amor não carece de presença para existir. Eu passei a minha vida inteira distante do homem amado, e agora, tê-lo assim, tão perto, tão ao alcance dos olhos, já era demais para mim.

Conversávamos horas e horas. Quase nunca tocávamos nos motivos dos nossos sofrimentos. Era uma forma de preservar-lhes a sacralidade. Certa feita, enquanto estendia as mãos para lhe entregar um copo de leite, ele olhou-me com ternura e disse que já poderia morrer feliz. E assim foi.

Quando a primavera cedeu lugar aos calores do verão, Alberto se despediu de mim de forma definitiva. A tarde era bonita e ensolarada. As cigarras gritavam na alegria descompassada de sua ressurreição gloriosa. Ele estava sentado no sofá. Pediu que eu chegasse mais perto e segurasse pela última vez a sua mão. Eu o fiz.

Ele sorriu e perguntou: – Quer que eu dê algum recado a Deus? –. Eu o olhei e com lágrimas nos olhos lhe disse: – Sim. Diga a Ele que Ele é injusto!

Sorrindo ainda mais, do mesmo jeito que me sorriu tantas vezes naquelas tardes de nossa única primavera, ele completou: – Não. Ele não é injusto. Ele me permitiu vir morrer ao seu lado! –. E foi então que Alberto se despediu de mim com uma frase que ainda hoje não aprendi a esquecer. Olhou-me com profundidade e disse: – Uma vida inteira sem flores não é nada diante de uma única primavera florida! –. Depois, foi perdendo o sorriso, apertou minha mão, suspirou e morreu.

Simplicidade

Sou do tempo em que tristeza era curada com um pedaço de goiabada com queijo, mas hoje não. Qualquer tristezazinha já tem de ser medicada com comprimidos que entorpecem a alma. Eu já disse para a Liana não dar ouvidos ao médico que ela arrumou para curar a sua depressão. Coisa mais esquisita. Só porque está um pouco ansiosa, fato normalíssimo na vida humana, já foi diagnosticada como deprimida. Tristeza agora tem outro nome?

Isso é falta do que fazer. Se lavasse uma mala de roupa por dia, certamente estaria bem cansada para dormir a noite toda, mas não. São três ou quatro empregadas. Passa o dia todo sem colocar a mão numa louça suja. Deixo pra lá!

Coloquei minha mágoa na primeira gaveta da cômoda e fui arrumar o prato de comida para o Heriovaldo. Antes eu não tivesse perguntado do paradeiro do dinheiro que ele recebeu de herança. Grosso igual a rolo de fumo, resolveu me humilhar em público. A comadre Zenaide roxeou os lábios na hora, de tanta vergonha por mim! Eu quase perdi as forças nas pernas. Mas nada que um choro de meia hora não console. Choro na hora certa evita o comprimido depois.

Eu andei plantando umas mudas de alecrim na porta da cozinha e agora preciso esperar o tempo da terra. Lembro-me de que minha mãe gostava de repetir que a terra tem o seu ritmo próprio. Gostava de plantar roseiras em dias de Sexta-feira da Paixão. Fazia as mudas com as podas, e depois distribuía entre as vizinhas como se estivesse curando as dores do mundo.

Nunca vi uma mulher mais resignada que minha mãe. A sua labuta não tinha tréguas. O ofício de ser mulher era aprendido e ensinado nas pequenas coisas. Broa de fubá com amendoim era sua especialidade. – Forno é lugar por onde a gente prende o marido! – dizia. Eu levei tempo para entender, mas os sabores são laços que garantem a conjugação do amor eterno. Não há amor que resista a um arroz requentado. Coisa mais triste é ver pingar a água no arroz encaroçado na panela fria. O bom do amor é sentir o cheiro do alho no óleo quente, o barulhinho do arroz refogando, dourando junto da cebola moída, só pra dar gosto. Doura o arroz, dura o amor.

Um arroz feito na hora é um tijolo na reforma do mundo. O cozimento que o fogo realiza parece atingir uma realidade superior, imaterial. A cozinha é lugar de amor eterno. Mora nos potes de tempero, nas latas de quitanda fresca, nos tabuleiros de bolos caseiros e pães artesanais.

Sou da época em que o fogão à lenha era o coração da casa. A labareda e seu poder de manter os filhos ao redor da mesa! A vida era artesanal. A felicidade se escondia numa panela de barro com carne moída e abobrinha.

Sou do tempo em que o mingau de fubá era a primeira refeição do dia. A roupa branca quarando no varal, o cheiro de broa de milho, o calor do forno de tambor que ficava na varanda. Vida emoldurada de matéria simples, quase silenciosa.

Essa vida moderna não tem nada de artesanal. Tudo é feito às pressas. Antes, a vida demorava para acontecer. A confecção de um vestido cumpria os passos de um ritual. A procura do modelo, a compra do tecido, os aviamentos, a escolha da costureira, a negociação. Depois, a primeira prova, a segunda, e, finalmente, o vestido pronto. Hoje não. Olha na vitrine e leva. Não há espaço para a espera que nos permite ocupar a mente. Os sabores não demoram em nós. O prazer da roupa nova é reduzido drasticamente ao momento da compra e ao primeiro uso. Antes, o prazer de procurar os detalhes. Deleite prolongado talhando a alma, tal qual a tesoura talha o tecido. A costura, os bordados, os reparos. O todo constituído de partes que nos ensinavam a saborear o período das esperas.

Recordo-me. A jabuticabeira florida era epifania de uma felicidade de época. Alegrias com cores de novembro.

Chuvas torrenciais que nos permitiam tardes de prazeres delicados. Observar a metamorfose das flores em frutos era satisfação sem preço. A natureza costurada de regras consumava diante de nossos olhos o ditado bíblico diz que debaixo do céu há um tempo para cada coisa. Era o tempo alinhavando os destinos das floradas, enquanto no silêncio do coração uma primavera fora de hora insistia em lançar pequenos brotos.

Sou do tempo em que tristeza era curada com uma mala de roupa pra lavar. O sabão e sua espuma sugerindo limpeza. Por dentro e por fora. A mesma água lavando sujeiras diferentes, alvejando roupas e alma num mesmo movimento. Tanque cura tristeza. Sol quente favorecendo o desejo de quarar as mazelas do mundo, retirando as manchas do tempo, os desatinos do passado. A água e sua capacidade de atingir o mais profundo, ultrapassando a pele e chegando aos destinos mais ocultos. A sujeira da roupa sendo desfeita pela força dos gestos das mãos. Do gesto, o que se desprende, como se houvesse uma continuidade que os olhos não enxergam, mas que a alma recebe em silêncio, prostrada.

O que faz a diferença no mundo é o jeito como olhamos para ele. Ando convencida de que a simplicidade são os óculos ideais para uma visão mais acertada. Prova disso foi Adelaide Vieira. Nunca lançou um olhar complicado sobre seu marido, o tenente Oscar Vieira. Relação complicada nasce é do jeito como nos olhamos. Depende do foco. Se há simplicidade em quem olha, naturalmente se torna simples aquele que é olhado. Oh, vida de meu Deus! Quanta coisa seria diferente, caso a simplicidade crescesse pelas ruas, do mesmo jeito que cresce a tiririca no meu jardim.

Sou do tempo em que jardim não era artigo de luxo. Cada família cultivava o seu. Hoje arrumaram até paisagistas para darem jeito nas feiúras do mundo. Solução fácil não existe. Cada um deveria cuidar da feiúra mais próxima. Eu cuido. Tenho uma unha no pé esquerdo que é um desacato de tão feia! Faço de tudo pra melhorá-la. É só assim que o mundo pode ter jeito. Só quem cuida das unhas dos pés é capaz de realizar uma revolução estética na humanidade. Dizem que sou detalhista. Não sei se sou. Se acreditar que cuidar das miudezas é um jeito de construir a totalidade, então eu sou. Mas uma coisa é certa: mulher tem de usar brincos. O movimento do "não" sem o barulho delicado de pequenos penduricalhos parece não ter autoridade.

Acho que estou ficando triste, ou deprimida, não sei. – Rosilene, me traz um pedaço de goiabada com queijo, minha filha!

Antes prevenir, que remediar.

Tarde santa

A freira deslizava pelo corredor central como se suas sandálias ralas estivessem cravadas em pequenas rodas de patins. O franciscanismo, a pequenez, atributos escondidos no passado de uma tradição de séculos, somente no hábito eram preservados. A freira era pura alegria. Despropositada postura para quem iria ver o marido ser crucificado em instantes. Alma descosturada! – diria minha finada mãe, em dias de desconsolo acentuado com a rebeldia de Ana Rita.

Ainda prefiro o silêncio das tardes de Tiradentes. Persiste em minhas pernas um desejo de retornar aos calvários de outras épocas. Andar nos contrários do tempo, retroceder nas datas, chegar aos lugares de antes. Modernidade é coisa que não combina com a morte de Cristo. Essas freiras engajadas, esses grupos de artistas e suas vias-sacras encenadas aceleram a atrofia de minhas esperanças. Eu sou antiga e assumo. Gosto mesmo é de tristeza na cara, anunciando logo o luto que represento.

Andei pelos arredores da construção da capela que padre Rosalvino começou três semanas santas atrás, e fiquei muito desanimada por ele. Coitado! Não vi futuro no empreendimento. Mas o padroeiro também não ajuda em nada: São Tomás de Aquino! Isso não é santo que o povo gosta! Inteligente demais. Povo gosta é de simplicidade. Fosse esse tal um lavrador que viu os filhos serem massacrados em nome da fé, e a capelinha já estaria funcionando há muito tempo. Com direito a sino tinindo de tão prateado e tudo. Mas ninguém quer saber de santo que escreveu suma teológica.

A freira continua trafegando. Houvesse multa para transeuntes e eu já a autuaria com pesada repreensão. Pelo jeito deixou tudo para a última hora. Falta de tempo é coisa sem jeito nos dias de hoje. Deve ter corrido a semana toda atrás de leitores para a vigília do sábado santo e esqueceu a tarde da agonia.

O hábito alvo revela um molho de no mínimo três horas em água sanitária. Claro que ela não é a responsável pela brancura. Certamente deve ser feito de uma irmã idosa, que, já possuidora de alma alvejada, ocupa-se agora dos clareamentos do mundo. Juventude não tem paciência para lavagens demoradas. É por isso que o povo anda encardido demais. É só dar uma olhada nos colarinhos dos apressados.

Coisa mais triste é mamão furado de passarinho. Desaforo. Olhei e esperei o amadurecimento, para nada. Acordei já com a faca na mão, desejosa de colheita, e eis a surpresa. O lado que meus olhos não viam já estava atacado. Mas não deixei por menos. Arranquei e enterrei, para não dar razão de alegria aos infelizes de plumas.

A tarde ardia como as tardes de Adélia. Divinópolis é cidade onde maio não tem fim. Queria ter nascido lá. Infeliz de mim, feliz de Adélia. Sempre fala com devotadas palavras sobre a beleza da mãe. Minha mãe também foi bonita, mas eu não tenho palavras que realcem o fato. Não sou poeta. A mim não coube o ofício de ser artesã de palavras. O máximo que consegui neste mundo foi escrever uma redação que alcançou o terceiro lugar no colegial. Era quase toda minha. Apenas dei uma espichada de olho num texto que minha irmã transcrevera de um pequeno informativo vindo da capital. Não sei se foi cópia. A professora encantou-se a ponto de marejar de lágrimas os olhos na leitura final, quando em público recebi a medalha de bronze.

A freira agora ri como se tivesse ouvido uma piada de português. Alguém bem que poderia orientá-la sobre o comportamento que precisamos ter dentro de um local sagrado. Ri e tampei a boca. A risada ecoa ainda mais. Risada vazada, coisa de gente vadia. Eu não agüento isso, não. Queria estar em Tiradentes. Queria também um pedaço de mamão. Mas me consolo com uma ave-maria rezada com pausas puritanas. Eu sou feita de assombros. Descubro o tempo todo o avesso da pergunta. Deus me livre de duvidar! Há um jeito mais interessante de manter a incredulidade sob controle.

Mamãe nos ensinou orações de belezas insondáveis. Não compreendíamos nada do que rezávamos. Palavreado difícil para quem não tinha estudos. Repetíamos com ânsia de santidade. A palavra fluía, arranhando nossas compreensões. Sou inexata, mas não me queixo. Orações não precisam significar. Só é preciso que estejam em conexão com os males que nos assolam.

Quero viver, mas não quero muito. A vida em sua medida exagerada amarga no fim. Eu não sei o que deu em mim. Nem nessa freira sem modos. Acho que vou embora. Vou crucificar Jesus em casa. Lá poderei chorar como se fosse Verônica. E o melhor, sem o sorriso de freiras modernas.

Tomei implicância dessa pobrezinha. É melhor que eu me vá, antes que arrume pregos e cruz e coloque essa freira no lugar de Cristo. Seria trágico demais. Assassinato dentro da Igreja em tarde de Sexta-feira Santa? Despropósito demasiado para uma mulher que até já fez parte do grupo das "filhas de Maria".

Eu não sei onde mora a raiz da mágoa. O que sinto é a sua ardência na alma. Evandro não precisou nem de dez minutos para me fazer jurar amor eterno e mesmo assim não me quis. Amarguei durante vinte e oito dias o seu desprezo mais agudo. Eu me humilhei, implorei, pedi em nome do santo sudário que me amasse, e nada. Em tardes de sábado e domingo passeava com Romilda como se fosse o papa em seu jardim particular. Infeliz! Vez ou outra me escondia atrás da matriz só para sofrer dobrado. Neisinha me contava tudo, mas eu queria ver com meus próprios olhos. Romilda era simplezinha demais. Não sei o que foi que ele viu naquela criatura de ancas minguadas. Viu tanto que com ela se casou.

A freira não pára. Agora está testando o microfone como se fosse técnica especializada em sonorização. "Jesus, Jesus, Jesus", repete como se quisesse convencer a assembléia de sua santidade. Por que não testa do mesmo jeito que todo mundo? "Alô, alô, som, testando". Mas, não, fica repetindo "Jesus, Jesus", com a boca cheia de sorriso cínico. A vontade que tenho é de levantar-me, pegar duramente em seu braço e encaminhá-la até o confessionário para que despeje os seus pecados no colo de padre Bernardo. Deve estar podre de tanta imperfeição.

Eu levo muito a sério minha confissão semanal. Conto tudo sempre do mesmo jeito. Já até percebi certo descaso de padre Bernardo com minhas mazelas espirituais, mas não me importo. Ele virou padre é pra isso. Eu faço o mesmo pão de queijo todo dia e não reclamo. Cada ofício tem a sua rotina e suas repetições. Ele que não se atreva a não me atender, caso contrário o denuncio ao bispo. Padre que não gosta de atender confissão? É o mesmo que açougueiro que não gosta de pôr a mão na carne.

Estou invadida por um desejo estranho de pisar no pé da freira. Colocar meu salto grosseiro de madeira rústica no seu dedinho menor, aquele que sofre mais. Mas não cumpro o desejo, guardo-o no peito assim como guardei o amor por Evandro. Meu coração é um museu recheado de amores e ódios antigos. Cada um guarda o que pode, e o que tem pra guardar.

A Sexta-feira Santa agoniza aos poucos. Em breve a freira se aquietará, e finalmente o mistério da morte de Cristo será celebrado. Quero ser invadida por uma tristeza imensa. A tristeza deste dia ultrapassa os limites das tristezas comuns. E quero sorvê-la sem reservas. O homem no madeiro pendurado é a metáfora dos calvários do mundo. Que seja sempre assim. Que nada mude. Que nada se perca. Minha tristeza tem aroma. Cheira a arruda e manjericão.

O redentor

O que conheço do amor é sua pressa. De chegar e de partir. Quis dormir o sono da tarde para ser agraciada com o dom do esquecimento, mas Estevão veio perturbar os meus sonhos. É que o amor ainda insiste em assanhar minhas esperanças.

O amor é uma forma de tormento. Experimento na carne a saudade em sua expressão mais acertada. A ausência é um intervalo entre os corpos. Quando não há distância a ser percorrida, o corpo que sofre da ausência parece perder a mobilidade. O amor nos coloca num destino único. Quando chega, fecha as portas das possibilidades.

Eu me lembro daquele dia. Minha alma descuidada só pensava em terminar o último mistério do terço na praça do coreto, quando percebi a presença daquele jovem guarda observando o movimento de minhas mãos que contavam as três últimas ave-marias. Um sorriso tímido parecia querer dizer uma palavra que soaria em meus ouvidos como admiração por minha devoção.

Ele se aproximou e não titubeou em dizer que eu era bonita. Sem muito pensar, eu acreditei. Desfez-se naquele instante a maldição da madrasta que me obrigara a viver no lamento do borralho, acreditando piamente não possuir nenhum encanto ou atrativo.

A voz serena de Estevão acomodou-se em meus ouvidos tal qual a criança necessitada de carinho, no colo da mãe. Eu, a pobre moça condenada ao beatismo precoce, ali, naquele coreto tão iluminado por aquela manhã de setembro, ouvindo um elogio do homem mais cobiçado da cidade, quase experimentei a tentação de acreditar que era um sonho. Mas não. Era real. A voz, o coreto, o terço nas mãos, o esparadrapo num dos dedos do pé e o ruído de algumas crianças brincando nas proximidades da fonte luminosa.

Só a maldição da madrasta não era real naquele instante. A voz de Estevão, ainda que calma e macia, era capaz de esconder os gritos descompassados que acompanharam os dias de minha vida. O amor faz cair por terra todas as maldições.

Estevão andou ainda mais em minha direção e perguntou meu nome. Quase sem forças na voz respondi que era Anita. Ele disse que era bonito o nome. Eu acreditei. Esqueci os insultos da madrasta que insistia em dizer que eu tinha nome de velha rabugenta. Talvez tenha sido a única vez na vida que eu tenha dito o meu nome sem receios. O amor tem o poder de dispersar a timidez. Estevão perguntou se eu poderia esperá-lo terminar o seu turno para que pudéssemos tomar um sorvete juntos. Era só um pequeno intervalo de quinze minutos. Trabalhara desde as primeiras horas da manhã e estava intencionando um descanso na sorveteria do Araújo. Eu disse que não haveria problema. Disse por mim mesma. Esqueci a ordem severa de que a salve-rainha deveria ter início com o bater do portão da frente. Terminaria a última jaculatória com os pés no tapete da sala.

Mas eu não poderia recusar aquele convite. O amor passa uma única vez. – Cavalo selado não retorna – assaltou-me a sabedoria de minha avó! O tempo não perdoa os nossos medos. Melhor o ferimento e suas recordações insinuantes. O pensamento durou o mesmo tanto que a espera. Estevão tirou a boina sinalizando o término de sua vigilância. Caminhamos lado a lado, sem toques. Apenas a companhia da alma, a grata satisfação de que a vida ganhava um novo capítulo, repleto de cenas felizes.

Estevão especulou tudo o que pôde. Perguntas pausadas, oriundas do desejo mais profundo de avançar o tempo, ou retroceder, não sei. Era como se desejasse conhecer-me por anos e anos.

Eu respondia sem medo. Ele encorajava-me. E sorria de algumas coisas minhas. Eu permitia, ao sorrir junto. Achou engraçado o fato de eu colocar o despertador para tocar às cinco da manhã só para ter o prazer de dormir mais meia hora.

O trajeto foi curto. Quase dois quarteirões nos separavam da sorveteria. Pareceu-me muito mais. O amor tem o poder de prolongar as distâncias. Os passos perdem a pressa. Chegar não é o mais importante. O encanto está no ir. Um ir eterno, sem destino, sem tréguas. Um chegar que não chega nunca. E foi na direção desse não chegar que Estevão chegou definitivamente em minha vida. Após o sorvete ele disse que não saberia voltar para casa sem a certeza de um reencontro. Eu acreditei. Por um instante apaguei da memória a dureza das palavras que diziam que eu era insuportável, e que ninguém gostaria de mim. O amor faz esquecer as ofensas.

Quando cruzei o tapete da sala não havia gosto de salve-rainha na minha boca como das outras vezes. O sabor era de chocolate com maracujá. Eu desafiei os olhares como nunca havia feito e não pus atenção nas palavras ofensivas. Entrei no meu quarto para não permitir que minha carruagem se transformasse em abóbora sob os gritos da madrasta desalmada.

O reencontro aconteceu. Quase não pude esperar o terço do outro dia. A tarde era chuvosa, diferente da manhã do primeiro encontro. Estevão estava ainda mais bonito. O amor tem o poder de nos fazer observar detalhes. A farda era mais garbosa. O casaco lhe conferia uma autoridade a mais. Ele me olhou e sorriu. Eu ainda não havia conseguido finalizar nem o segundo mistério. O amor nos retira as palavras, o ritmo; seca a boca. Não havia prece capaz de acalmar minhas ansiedades, mas o amor ainda é a forma mais aprimorada de oração. Só os pecadores sabiam disso. Eu pude aprender.

Estevão não teve receios. Agiu como se fosse o proprietário de minha alma. Eu deixei. Coloquei o terço na bolsa e pedi perdão à Virgem Maria com o tremor dos meus lábios. Aproximou-se e beijou minha mão. Disse que sentiu saudades. Eu acreditei. Esqueci as madrugadas em que ruminava a certeza de que morreria na solidão. Meu sorriso lhe confessou ter sentido saudades também. Estevão improvisou um verso de Camões. Trocou a última frase, mas não ousei corrigi-lo. Gostei do erro. O amor tem o poder de nos cegar para detalhes que pertencem à imprecisão. Achei que o erro trouxe uma originalidade aos versos do velho poeta português. Não tínhamos destino. Era uma tarde fria para sorvetes. Não me importei. Andamos sem pressa pela praça até que me convidou para sentar. Eu aceitei. Acomodei o meu corpo ao lado de Estevão. Era a primeira vez que o tinha tão perto de mim. Ouvia sua respiração ofegante e achei bonito o jeito como descansava as mãos sobre as pernas. Estevão era um homem feito, apesar da pouca idade. Vinte e dois anos é muito pouco para um homem que parecia ser tão dono da vida. Eu só tinha 18. Pensei que a diferença de idade era perfeita. O homem precisa ser mais velho que a mulher.

O tempo correu com velocidade. Quando dei por mim, o relógio denunciou que nas horas passadas caberiam perfeitamente um rosário inteiro. Ele me deixou no portão. Disse que voltaria no outro dia. Eu acreditei.

Quando o relógio anunciou que dentro de cinco minutos seriam quatro horas, ele me surpreendeu com um toque em minhas costas. Não veio pelo mesmo lado de sempre. O amor tem o poder de surpreender. Trouxe uma pequena rosa vermelha e disse que significava muito para ele reencontrar-me naquele dia. Eu acreditei. Pediu se poderia deitar a cabeça no meu colo. Eu permiti. Corada no início, mas encantada com o gesto, por um instante me senti a dona daquela cidade. Uma autoridade tão respeitada e desejada baixava sua guarda ali, no meu colo de mulher. Permanecemos assim. Não sei quanto tempo durou. O que sei é que ao deixar-me no portão eu ainda tinha a sensação do seu peso sobre mim. Olhou-me com uma ternura severa e disse que eu não deveria alimentar outras esperanças senão a de casar-me com ele. Prontamente obedeci. Acatei na alma a ordem daquele homem, que, apesar de tão recente em minha vida, era capaz de controlar todos os meus sentimentos e desejos. E num impulso de uma despedida nervosa ele disse que me amava. Eu acreditei.

No outro dia, quando as horas ainda eram poucas, tive de subir a ladeira do Aureliano para ir buscar uma encomenda de ovos na casa de Severino Custódio. Estevão tomava um café no armazém do Marcelino e não fez questão de esconder o seu espanto ao alcançar-me com os olhos. Parecendo reprovar não conhecer a necessidade de minha saída, aproximou-se de mim com passos alterados. Disse que não gostava de me ver andando sozinha naquela altura da ladeira. Eu concordei. Senti um desejo de pedir que me pegasse ao colo e que severamente me castigasse em público. O amor tem o poder de nos fazer querer coisas absurdas. Contive o desejo. Após explicar-lhe as razões de minha saída, ele disse que me acompanharia na busca de minha encomenda. E assim foi. Deixou-me sem dizer palavra, limitando-se a aliviar a expressão do rosto. Havia uma tranqüilidade em seus olhos antes preocupados. Parecia feliz por me ver resgatada, protegida dos perigos da ladeira.

Mais tarde, quando eu ainda nem havia feito o sinal-da-cruz para começar o terço, senti-o sentar-se à minha direita. Meus olhos fechados buscavam as intenções para o terço. Em vão: o amor estava sentado ao meu lado. Tinha cheiro bom de colônia amadeirada, vestia fardas limpas e botas que escondiam pés tão cheios de coragem.

Estevão começou dizendo que minhas mãos o encantavam. Eu acreditei. Tocou com leveza a que não segurava o terço e ousadamente pediu que eu o venerasse da mesma forma como venerava a Virgem Maria. Hereticamente concordei. Continuou pedindo. Queria que a cada ave-maria rezada um beijo lhe fosse reservado. Eu continuei aceitando. Depois sorriu e disse que queria ser o meu deus. E então, naquele instante, quando minha mão deixava escapar o terço que segurava, minha alma se prostrou definitivamente diante daquele novo e surpreendente amor. Quando me deixou no portão, ele me pediu que começasse a pagar minha promessa. – Uma ave-maria na boca! – pediu-me maliciosamente. Eu dei. Foi a primeira vez que meus lábios se encontraram com os lábios de um homem. Eu quis rezar o rosário inteiro naquela hora!

A noite foi inteira na claridade. Não havia possibilidade de sono. O corpo tremia como se eu ardesse em febre. Pensei em pedir socorro, mas intuí que para essas enfermidades não há outro remédio, senão cair nos braços de quem nos faz tremer. O dia amanheceu. A notícia chegou pela boca do Itelvino, o verdureiro. Estevão estava morto. Fora encontrado caído na esquina da ladeira que lhe trouxe desgosto por ver-me nela na manhã anterior. Tinha uma rosa vermelha na mão e o corpo ainda estava morno. Calcularam que a morte ocorrera por volta das 6 horas da manhã, quando por certo fazia a guarda final. O assassino lhe golpeara a nuca. O sangue desenhara um rastro pelos paralelepípedos que terminava na direção de sua mão, da qual pendia uma rosa vermelha que parecia possuir a mesma cor. Em sua nuca, apenas uma pequena marca denunciava a gravidade da razão do golpe. Havia peso naquela marca.

Ouvi a notícia quando me preparava para descer as escadas que me levariam ao portão onde havíamos combinado um encontro rápido. Ele disse que estaria pontualmente às 7 horas. Eu acreditei. Desci, e de longe percebi o movimento na esquina. Coloquei forças nas pernas e corri como se quisesse vencer os desatinos que me afligiam. Quando cheguei perto, pude ver o sangue escorrido, vermelho vivo, escarlate, mártir, eucarístico. Os olhos entreabertos pareciam espiar a última cena. A boca molhada de sangue, a mesma que eu beijei quando a noite ainda começava, agora estava ali, tão imóvel, tão testemunha do último suspiro exalado.

Eu quis morrer naquela hora. Então percebi que não tinha o direito de chorar. Ninguém sabia que Estevão se tornara, num intervalo curto de alguns dias, o homem de minha vida. O amor tem o poder de confundir o tempo. Não havia o que contar, não havia o que gritar em público.

Fosse eu a namorada assumida, reconhecida, prometida em casamento em solene reunião de família, e então teria o direito de me atirar naquele chão frio, clamar por justiça e juntar meu corpo vivo ao corpo inerte de meu homem, de meu cordeiro santo. Aos olhos de todos, eu era apenas mais uma curiosa a observar o corpo sem vida do rapaz mais bonito da cidade.

O sepultamento aconteceu quando a tarde já costurava nas carnes da terra os seus primeiros retalhos de sombra. Eu não fui. As pernas paralisadas não suportariam chegar ao cemitério, jazigo trinta e três.

O tempo seguiu o seu rumo. Só eu, não. Ainda vivo parada naquela noite em que meus lábios encontraram os de Estevão. Não quero outro amor. Prefiro a lembrança daqueles dias. Quando a saudade é demais, perco a fome e a voz. Nunca mais acreditei nas maldições da madrasta. Estevão foi o redentor de minha vida. Não precisou de muito tempo para chegar, tomar posse de minha alma e depois redimir-me de todos os meus pecados. O seu sangue derramado lavou-me de todas as minhas iniqüidades. O amor tem o poder de apagar o passado. No calvário de minha vida, Estevão é o meu crucificado. Ressurreição? Eu ainda espero. Sempre que posso vou ao túmulo com o desejo de encontrar um anjo sentado próximo, a me questionar: – Por que procura dentre os mortos aquele que está vivo? –. Eu me preparo para esse dia, porque quando ouvir essa frase, juro, juro que vou acreditar.

A atéia

Eu queria acreditar que essa vela acessa fosse capaz de estabelecer uma ponte entre a minha necessidade e a benevolência de Deus, mas não posso. Olho para essa cera perdendo a consistência e a única certeza que me ocorre é a de que o Marcelino do mercadinho está tendo muito lucro com a fragilidade do mulherio. Maços e maços de velas são queimados todos os dias nos silêncios dos desesperos. As causas são muitas. É marido que não volta, filho que não cura, emprego que não chega, plantação que não vinga. As velas nascem das precariedades.

Não sou mulher de acender pavio. O máximo que faço é arrumar o dinheiro para Marielza cumprir o preceito dela. Mas faço questão de fingir desconhecer o destino da pecúnia. Prefiro imaginar que o dinheiro será queimado numa cartela de cibalena ou num pacote de goma colorida para distrair os dentes.

Marielza sofre o sofrimento do mundo. Por não ter se casado, assim como eu, passa os dias e as noites se ocupando das mazelas de todos os viventes que cruzam o seu caminho. Não é preciso nem proximidade. Basta que o olhar alcance o que sofre e a sua frase indagando a causa já é formulada. Da conversa que geralmente dura meia hora nasce o comprometimento quase monástico de intercessão. A vela é um jeito de aliviar a consciência, já que morreria seca se tivesse de formular uma prece para cada situação. A vela representa a dor particular. Ela acende e repete duas ou três vezes o nome que carece de alívio e redenção.

Fico intrigada com essa história de que Deus tenha disposição de enxergar pavios de velas acesas. E o pior, ter de saber a razão de cada uma delas. Eu confesso que isso fragiliza ainda mais minha capacidade de crer em Deus. Imaginá-lo assim, necessitando de pavios acesos para que tenha gestos de bondade, ou pensar que ladainhas em reto tom em tardes de domingo possam agradar-lhe os ouvidos é quase uma afronta à minha inteligência.

Passo na porta da igreja e já sinto um arrepio na espinha quando ouço aquela lamúria desafinada. Não posso acreditar que exista alguma sacralidade naquele acontecimento. Tarde ensolarada, calor convidativo a um banho na lagoa, uma conversa na praça arejada do coreto, uma boa seresta à sombra das árvores, troca de olhares cúmplices que nos façam imaginar a felicidade reservada aos personagens dos romances, mas não. Em vez de tudo isso, o banco sem conforto, o cartaz sem poesia, a rosa de plástico, a imagem e sua expressão desolada, as fitas nos pescoços e os lábios secos, sem o doce dos sorvetes de fruta.

– É isso mesmo que agrada a Deus? – eu me pergunto. Se for, este Deus precisa de terapia para curar-lhe os gostos. Fosse eu a sua mãe e ele estaria expulso de minha casa. Não suporto gente triste do meu lado. Ao contrário de Marielza, eu vivo é para escutar alegrias. Vira-e-mexe vem a Rosângela Vieira confessar-me os prazeres ocultos. Conta a história e esconde o riso com as mãos calejadas de tanto rachar lenhas para alimentar o fogo do fogão. Vejo aquelas mãos grosseiras e penso no descompasso da existência. A vida reunindo dor e alegria num mesmo calo. Os anéis simplórios, bijuteria de esquina; bazar da Magda vestindo-lhe o corpo; artigos de terceira categoria contradizendo a felicidade nobre, rara, fruto do amor devotado de um marido fiel e atuante. Rosângela sabe das coisas. O marido também. O amor sobrevive é de intervalos. Descobriram isso quando Rosângela arrumava os mantimentos para que Rufino passasse a semana inteira na casinha da roça, no cultivo da plantação. O retorno era sempre marcado pela ansiedade, arrepio nas costas, olhar grudado no relógio da sala e roupas de cama limpas, prontas para o amor esperado. O intervalo faz rebrotar a primeira paixão, o primeiro encontro. Faz nascer a saudade, o elemento que mensura o amor. Amor que não sofre de saudade desanda, perde a consistência.

As velas continuam queimando. A consistência da cera se perde na agonia que representa. Só na sala a minha vista alcança vinte e duas. Marielza deveria abrir uma fábrica. Ficaria rica. Ou não. Acho que faliria nos primeiros meses. Queimaria, literalmente, o estoque com suas necessidades.

Há tempos eu não ponho a cara na porta da igreja para uma missa. Acho tudo aquilo triste demais! O sermão é cansado, o canto é arrastado, a leitura é malfeita. De longe se enxerga o colarinho encardido do padre. Os coroinhas parecem sofrer com o tempo. A sacristã também. Nisso está a contradição. O rito deveria nos fazer esquecer o tempo. O contrário acontece. Os olhos não se desgrudam do relógio. É por isso que eu não vejo alegria no ato litúrgico. É sacrifício e só. Sair de casa pra sofrer? Eu, não. Fosse a missa a celebração da alegria e lá estaria eu sem até mesmo recordar-me de que é preceito a ser cumprido.

Dizem que o céu é uma liturgia eterna. Deus me livre dessa condenação! Agüentar uma missa que não acaba? Prefiro a morte com requintes de crueldade. Que me furem os olhos, então!

Aliás, ando pensando que o sabor está nas passagens. O definitivo é cansativo demais. Mesmo não entendendo nada de teologia eu me atrevo a dizer que o definitivo é o inferno. Tudo o que não muda nos condena, nos condiciona. O bom da vida é saber que passa. Um fim de tarde com toda a sua beleza não cabe no tempo. E por isso ele se vai. O bonito é vê-lo desprender-se do que é. A beleza está nos intervalos, nos espaços de luz em que a sombra já se mostra. A mistura que evidencia o passar da beleza. O encanto mora aí.

Tentei convencer Marielza disso tudo noutro dia em que tomávamos um copo de leite antes de dormirmos. Quadris apoiados na pia, cumplicidade que as portas fechadas proporcionam, silêncio que as horas avançadas garantem, e eu desatei a falar de minhas incredulidades mais ocultas. Marielza ouviu meu discurso inflamado, e com os olhos arregalados, direcionados para a quina da mesa, limitou-se a dizer uma frase entre dentes. – Creio em Deus Pai! – falou, fez o sinal-da-cruz e saiu apressada como se corresse do demônio.

Naquele momento minha solidão se mostrou ainda mais dolorida. Minha descrença parecia representar uma forma de lepra contagiosa. O contágio se daria pelas palavras. Meu desabafo, minha quase indignação com a vida não cabia nos ouvidos de minha irmã. Foi naquele instante que me pus a pensar na minha orfandade. Não crer em Deus é uma orfandade que me afasta da fraternidade. Deus roubou minha irmã. Colocou inimizade entre nós, da mesma forma como acontecera com os primeiros irmãos que o livro de Gênesis nos apresenta. Quem seria eu nessa história? Caim, o perverso, ou Abel, a vítima sem culpas? Olhei para o clarão vindo da sala. As velas se derretiam pelo calor do fogo. A tênue fumaça anunciava que uma pequena prece subia ao céu.

– Desse jeito é fácil! – pensei alto. Acende a vela e vai dormir. Reza enquanto dorme. Safadeza! Por que Marielza não passa a noite ajoelhada rezando junto com as velas? Quer bancar a intercessora, mas não quer sacrifício? Ora essa! Até eu posso acender as velas. Será que teria valor? Será que Deus saberia diferenciar a vela de quem crê da vela de quem não crê? Foi então que me veio o desejo de acender uma vela pagã no meio de todas aquelas velas tão cheias de intenções religiosas. Quero ver se Deus separa mesmo o joio do trigo. E assim o fiz. Abri o maço, e mais uma vez não pude me livrar de um pensamento mesquinho: o lucro do Marcelino. Tentei driblar essa distração com uma severidade no rosto. Será que Deus põe mais atenção nas testas franzidas? Não sei e não quis pensar. Continuei o gesto, mas quis experimentar alguma piedade. Olhei para o isqueiro depositado próximo ao candeeiro e imediatamente me veio uma vontade incontrolável de fumar. Pararia o gesto para um cigarrinho? Achei que não deveria. O diabo gosta de nos distrair com banalidades, pensei, como se fosse uma freira. Foi então que me pus a pensar no quanto deve ser triste ser freira. Meu gosto por sandálias vermelhas é uma incompatibilidade com a vida simples. Pensei na tristeza que deve ser vestir um hábito. Não haveria surpresa com minha chegada. A roupa seria sempre a mesma. Todos saberiam como eu estaria vestida, mesmo antes de entrar no salão de festas. Um nó na garganta tomou conta de mim naquela hora. Quase um desespero. Será que Deus condenaria uma freira que se atrevesse a vestir roupas felizes, ao invés dos hábitos tristes de tons pastéis? Não sei. O que sei é que, antes da condenação divina, uma outra condenação já estaria garantida: a da madre superiora.

Acendi o isqueiro e levei a chama na direção do pavio. Pensei na facilidade com que Rosângela acende o pavio de seu marido. Ocorreu-me uma culpa. Como é que posso acender uma vela e pensar nas confissões pecaminosas de Rosângela? Será que aquele pensamento condenaria o valor da vela? Não sei. Sorrindo de minha própria vergonha, pus fogo na bandida.

Olhei para a vela acesa e a achei bonita. Pensei no quanto ficaria decorativa numa mesa preparada para um jantar a dois. Alimentos coloridos, taças cheias até a borda, o vermelho do vinho realçado pelo cristal translúcido. Desejos secretos vazando dos olhos indefesos; mãos se tocando em leves esbarrões; movimentos próprios de pessoas que desejam a mesma travessa, o mesmo pedaço de frango. Será que as velas destinadas a iluminar esses momentos também estão revestidas de sacralidade? Não seriam elas portadoras de intenções felizes, bem-intencionadas, tais quais as velas de Marielza? Não sei. Quis saborear o banquete inexistente. A boca cheia de água evidenciou o meu desejo. Continuei o ritual. Segurei firmemente a vela e pensei em elevar os olhos ao céu. Por que será que arrumaram esta história de que Deus mora acima da terra? Sem querer dar vazão a mais um questionamento sem sentido, elevei os olhos. – Marielza ainda não deu jeito nessa infiltração no teto! – pensei irritada. Prometeu que o Licurgo Ventura viria no mês passado para dar um fim a esse incômodo, e até hoje nada. Marielza não tem tempo para coisas práticas. O negócio dela é acender velas. Todo mosteiro precisa ter uma monja que reze menos e trabalhe mais, não é verdade? Pois esse deve ser o meu caso. Se eu não administrasse a casa morreríamos secas de fome e de sede, com livrinhos de novenas nas mãos, no meio de um fogaréu de velas.

Desconsiderei a infiltração e tentei me livrar das impertinências dos pensamentos. Foi então que relaxei numa intimidade afrontosa. Se Deus quiser uma oração dos meus lábios, que recolha do meio dessa confusão de idéias. Sou uma pobre mortal e não tenho mestrado na arte de acender velas. A vela está aqui e acesa. Faça com ela o que bem entender. Baixei os olhos e coloquei a vela apoiada na cera que derretia das outras. Fiquei observando e me pus a pensar no quanto aquilo era bonito e redentor. Enquanto umas se acabam as outras se apóiam naquelas que estão acabando. Há um sentido no morrer da vela. A cera escorre e vira suporte para que as outras não caiam. Os pequenos pavios em breve se apagarão. Chegarão ao destino final e moverão a caridade da cera. Permitirão que a cera não pare, mas que continue até o momento em que juntos se consumarão.

Uma emoção tomou conta de mim naquela hora. Havia uma beleza escondida naquela tristeza. O meu olhar viu diferente. A mesma cena, o mesmo acontecimento, mas agora iluminado por uma nova luz. Talvez seja por isso que as ladainhas de domingo conseguem encher de sentido a vida daqueles que as declamam. O que aos meus olhos é sofrimento e lamúria, aos olhos dos outros é consolo e redenção.

Foi então que dos meus lábios surgiu a prece e a intenção para a vela. Com voz embargada e emocionada pedi a Deus que me ajudasse a amparar os que não sabem ficar de pé. Por um instante, ainda que por um instante, a certeza de que Deus existia tomou conta de mim. E assim, tomada por uma absoluta esperança, fui dormir, invocando a proteção dos anjos.

Antiguidades

Sou antiga que só. Ainda prefiro a madeira nobre e sua dureza permanente aos compensados e suas transitoriedades. Gosto dos guarda-roupas que abrigaram outras épocas. Roupas que vestiram corpos há muito tempo sepultados. Móveis vividos, especialistas em humanos e suas relações. Neles os cupins não imperam. Apenas espiam orgulhosos, desejosos, mas incapazes. Móveis herdados, legados de gerações passadas e testemunhas de outros tempos.

Ainda prefiro os casarões de assoalhos com suas paredes altas e seus interiores naturalmente refrigerados aos apartamentos modernos com suas refrigerações artificiais. A vida moderna e suas transições. O que é de hoje dura pouco. Respiro curto, vida breve, quase um rastro de passagem; um susto.

Antes, a vida prolongada, a demora salutar que nos permitia o costume. A adequação aos poucos e a completa identificação mais tarde. As coisas eram mais velhas que as pessoas. Hoje, não. A idade das coisas não prevalece sobre os humanos. Tudo acabou de chegar. E, muito em breve, vai partir.

Antes, a cômoda acompanhava as gerações. As cristaleiras resguardavam saudades e as porcelanas acenavam para os significados que a memória por si só não seria capaz de segurar no tempo. As coisas sacralizam os significados.

Eu não me acostumo com as insignificâncias. Gosto mesmo é de observar a vida amontoada pelos cantos do meu sobrado. As fotografias penduradas nas paredes acenam para a vida que já não há. Os corpos revestidos de tradições de antes, os penteados que ninguém mais usa, a cor que descoloriu, os sapatos que foram doados aos pobres, os pobres que não aparecem na fotografia, a vida passada. Tudo anuncia um jeito diferente de sorver a existência e de colocar a história na contramão. O passado é tão vivo quanto é viva a minha preocupação com a saúde de Leocádia.

Uma complicação renal no início, uma dor de cabeça constante, e depois, o diagnóstico que ninguém teve coragem de contar. A gente opta por velar a doença, guardar os resultados dos exames como se fossem inimigos que preferimos desconhecer. Saber o nome da enfermidade é um jeito de aceitar o seu poder de destruição.

Enquanto isso, eu vou me entregando ao remanso do meu rio imaginário. Imagino suas margens. Uma gente feliz observando-o; redes lançadas, confiantes da riqueza que as águas ocultam. Poetas extasiados, dele extraindo palavras.

Pescadores extraindo peixes, rindo dos poetas. Afluentes chegando, misturando-se em mim, tornando-me outra, emprestando-me forças para que eu não me acabe antes de chegar ao mar. Se no percurso me barram, fico profunda. Assim eu vou.

De memórias sobrevivo. Reluto por deixar o meu fogão à lenha e seu cheiro que já tem a mesma idade que eu. É certo que ando sofrendo com as dores nas costas por causa do manuseio da lenha, mas a satisfação justifica a dor. Não é essa a filosofia dos atletas? Que seja a minha também.

Meu endereço é o mesmo desde a época do meu nascimento. Orgulho-me dessa estabilidade. Isso facilita a vida dos carteiros. Nem precisa conferir o local a ser entregue a correspondência. Meu nome é meu endereço. Nele, a vida está à disposição. Pode ser conferida, investigada, porque meu destino é certo, imutável.

Minha finada mãe sempre me ensinou o valor de se ter o nome honrado. – Quem tem nome limpo não tem o que temer! – dizia em tom de braveza.

Eu herdei a mesma opinião. Aliás, minhas opiniões não são muito diferentes das dos que viveram antes de mim. Opinião é igual pedra preciosa: dura no tempo. Se não dura é porque não é opinião, mas achismo. Hoje todo mundo acha. Ninguém tem certeza de nada. E eu sou do tempo das certezas. Eu sou do tempo das durações.

Meu pai jurou amor eterno à minha mãe. E só a morte os separou. Enquanto a morte não vinha, a vida reunia, remia, significava, produzia rugas. A felicidade era miúda, mas constante. O trabalho sem tréguas, a dedicação de toda hora. A educação ensinada em regime espartano. A observância das mãos limpas, antes das refeições; os cabelos cuidadosamente penteados. Tudo nos conformava ao molde que alguém determinou em outros tempos. Apenas seguíamos a receita que depositaram em nossas mãos. Cartilha boa é cartilha antiga. Já passou pelos acertos, esbarrou nos limites e foi aprimorada no desenrolar das lições.

A vida na tradição é mais segura. Novidade é perigo que ameaça constantemente os fundamentos de tudo o que consideramos sólido. Não há desespero nem angústia na tradição. É só estender as mãos e a vida nos leva e nos conduz. Não há dilema na escolha de rumos. O rumo é um só. Muitos já rumaram, foram antes de nós. Apenas seguimos, na segurança de quem soube ir. Os que não souberam nos ensinam também. Não seremos como eles. O exemplo está posto.

É também o bom da vida uma sopa em dias frios. A tigela fumegando sobre a mesa de carvalho, as meias três quartos aquecendo as pernas, a blusa de lã tão antiga quanto o frio. A vida em perfeita ordem, acontecendo aos poucos e sem pressa.

A solidão não me assusta. O meu lugar é minha companhia. Um romance antigo, uma releitura da juventude, o amadurecimento dos personagens: tudo é matéria que ajuda a preencher as minhas horas. Os grifos das leituras passadas demonstram o quanto a emoção mudou de foco. Os grifos da primeira leitura, dos tempos quando o corpo adolescia já não despertam mais minha atenção. Não há surpresa naquelas frases. A velha de hoje não quer mais se ocupar de emoções pueris. Os grifos de agora são mais raros. A quantidade é menor. Perda de sensibilidade? Não. Apenas um jeito mais calmo de passear pelas frases. Quando a maturidade chega, com ela vem a dificuldade nas surpresas.

Lugares simples são os meus preferidos. Sempre fiz meus dias de férias na fazenda de tia Percília. Não há outro lugar neste mundo que me descanse mais. A lareira em dias de frio, o ritual para acendê-la; a lagoa em dias de calor e o atrevimento contido nas roupas de banho. O movimento das mulheres na cozinha, o lenitivo da sesta, a vida em perfeito estado de rotina. O cheiro da terra, o frescor do quarto, a cama de madeira nobre, os travesseiros com fronhas de linho, bordadas à mão. A arte ajudando a dormir. Coisas de outros tempos, quando as mulheres ainda registravam nos linhos as sensibilidades da alma. Linhos e linhas são coisas da alma. As conversas ao redor da mesa de chá, os tecidos estendidos pelas cadeiras; as trocas de moldes, as dicas de linhas, cores e arremates. Os detalhes da existência sendo cuidados nos detalhes dos bordados. Linhos e linhas nas linhas da alma. O artesanato das mãos atingia as origens de nossas causas. O que bordávamos no pano bordávamos mesmo era dentro de nós. Em cada desenho entrelaçado de linhas, o entrelaçamento das tramas que são próprias da vida real. Os ciúmes, os desejos secretos, os medos sem causa, os justificáveis. Em cada linha e cor, um respiro de esperança, um pedacinho de dor. Sou mulher de bordados extensos. Nunca temi a demora das tramas.

Enquanto isso eu envelheço. Vejo e sinto o tempo se estabelecendo dentro de mim feito um posseiro. Recebo-o com delicadeza e reverência. Meu mundo antigo permanece. Absoluto. Imponente. Do casarão a poeira do tempo ainda não se retirou, mas continua impregnada nas varandas e nos recortes da janela de madeira.

Em mim há uma infinidade de recortes, mas não sou arte que deve ser apreciada com pressa. Sou feita de detalhes antigos que carecem de contextualizações. Quem quiser que venha, mas antes se informe. Sou igual aos museus. Tenho horário para fechar.

Avesso

Não, não sou uma sobrevivente da Guerra de Canudos. Também não sofro na carne os estigmas de Cristo. Não tenho notícias de que eu descenda de algum santo, nem tampouco tenho freira ou padre na família. Sou mulher comum, de estirpe duvidosa, afeita às estranhezas diárias e avessa aos sabores quaresmais.

Sou mulher de poucas palavras. Por vezes tenho medo, por vezes tenho coragem. Não gosto dos extremos. Prefiro a humildade das pequenas medidas. Não coleciono selos, nem tenho segredos escondidos no armário. Não reservei manias para exercitar na minha velhice. Já chega o que vem com ela sem que eu peça. Ser velha é o mesmo que ser criança. Ando necessitando as mesmas coisas que os recém-nascidos. Só não tenho coragem de pedir.

Em noites de chuva forte acendo uma vela e invoco os santos, como no passado: São Jerônimo, Santa Bárbara! Os santos diminuem o medo. Se é que para o medo possa existir alguma solução.

Em dias de calor sinto ainda mais os desconfortos da idade. O tempo avança os territórios da felicidade, transmuda a paisagem, reconfigura os espaços, descolore a tela.

Vejo da minha janela a constante atuação da ferrugem sobre as estruturas que sustentam os meus significados. É a vida se desfazendo aos poucos, em grãos, centímetros, partículas miúdas, mas constantemente.

Os ipês com sua coloração rosada já anunciam mudanças. A vida não sabe esperar. Olivério Rosa vive a vida com a mesma regra dos ipês. Desafia todos os estatutos do bom senso.

Florescer no inverno é coisa de quem armazena diferenças estranhas. Rosa é um homem memorável. Tivesse eu uma ousadia sobrada da juventude e já lhe abriria as portas de minha casa para que entrasse com suas duas trouxas de roupas e seu violão colado ao peito.

Eu só sei pensar alto. Viver não. A altura da vida não corresponde à altura do pensamento. Pensei muito mais do que vivi. Quis muito mais do que realizei. Vivi baixo, pensei alto. Não importa. O que quero é este amanhecer cheio de graciosidade, quero este ipê florido em tempos de secura. Quero a vida generosa neste espaço onde quase nada me desperta o sorriso.

Experimento o silêncio de Deus e só assim me convenço de sua existência. Acho absurda a crença de que abriu mares, derrubou muralhas, fez chover pães, naufragou exércitos. É por eu crer assim que padre Edvaldo esparramou pelos quatro cantos da cidade que sou atéia. Deixo que pensem.

Gosto de Deus é por causa de sua fraqueza. Eu o reverencio é por causa de sua estranha forma de carecer, de necessitar, de ficar pequeno.

Andei pelos pastos e Ele andou comigo. Na hora da sede, a água dividida. Na hora do almoço, a marmita repartida. Mulher e Deus, sentados na mesma planície, sob as agruras do mesmo cansaço. Na hora da felicidade, sobretudo quando não a esperávamos, os sorrisos se encontravam surpresos. As razões eram poucas: um pito aceso, uma fonte de água descoberta, uma sombra para uma breve demora, uma roupa que deixava escapar da bacia na hora do enxágüe, o rio sem piedade, levando com ele roupa e sabão. Tudo era motivo de riso, de prolongado êxtase, que parecia perdurar mais que o tempo marcado no relógio.

Deus é bonito quando visto de perto. A glória ofusca a revelação. O trono, a exaltação, o brilho das representações velam sua verdadeira beleza. Ele é bonito é no avesso da sua divindade, lá na intimidade, quando entra na cozinha da minha casa, aconchega-se aos pés do fogão à lenha e reclama das dores nas pernas.

Os olhos na direção das chamas, os dedos coçando a barba, o cansaço no fim do dia, a expressão preocupada de quem carrega o peso de guiar os destinos do mundo, tudo anunciando o cansaço de sua carne humana e os desatinos que nascem de sua solidão de amigos. Nele há uma orfandade incurável, uma tristeza bonita de quem sabe dos limites que possui. O limite maior, o de não ter um colo em que possa deitar a cabeça. Um olhar de menino que sofre de saudade do pai, da mãe, dos irmãos. Um olhar que reconhece não ter ninguém a quem dirigir um pedido de socorro, já que não tem ninguém acima de sua condição! Ninguém é Deus de Deus. É por isso que ele se recolhe na solidão de minha cozinha.

Lá, no silêncio de minhas panelas e labaredas, lá onde a vida é mulher e ele pode descansar do duro encargo de pôr ordem nas realidades criadas. Ali ele não sofre exigências, nem recebe elogios desconcertantes. Ele já me confidenciou que os elogios o deixam muito envergonhado. Disse também que não gosta de flores de plástico e fitas de cetim estendidas no altar. Ri, porque acha que fica feio.

Estende a mão e segura o bule de café. Serve-se ao seu gosto. Deixo que minha casa seja sua. E se não me faltasse coragem eu juro por ele que iria pedir para adotá-lo como filho.

Esse é o meu jeito de adorá-lo. Não há alarde na minha crença. Eu creio é na sua fraqueza, fruto de sua capacidade de amar. Ele bem sabe o peso de ser humano. Amar é o mesmo que ser fraco. Eu penso assim, mas ele não.

Adoro-o assim, retirando-lhe o manto de glória e oferecendo-lhe chinelos para os pés. Oferecendo-lhe lençóis limpos, na cama de sua preferência. Essa adoração o agrada. Deixá-lo a sós, sem rezas, sem pedidos, sem clamores e sem elogios. Deixá-lo descansar de ser o que é. Cuidar dele e, ainda que por um instante, ser a mãe que lhe é ausente.

Outro dia chegou sem que eu o esperasse. Pediu se poderia dormir na minha casa. Prontamente disse que sim. - Algum problema? - perguntei. - Não. Só quis me refugiar um pouco num lugar em que não procurassem por mim. A casa de uma mulher atéia é o último lugar em que iriam buscar pela minha presença. Sorriu e entrou. Eu concordei.

Preparei-lhe um chá, falamos de amenidades, coisas sem importância. Depois ele deitou e dormiu, enquanto eu ainda ajeitava o lençol para lhe cobrir os pés. No outro dia, acordei e ele já não estava mais. Deixou-me um pequeno bilhete escrito: "Obrigado pela dormida. Boa sorte no amor com o Rosa!".

Olivério Rosa não sabe do meu interesse por ele. Só Deus sabe. Sempre que posso, eu estendo o meu olhar na direção da janela, desejosa de alcançá-lo, na calçada do outro lado da rua. Ele vê, mas não dá sinal de que viu. O contato é pouco, quase nada. Falei a Deus sobre ele, mas ele sorriu sem dizer o que pensava. - Bem que poderia abrir esse marzinho por mim; bem que poderia transformar essa jarrinha de água em um saboroso cálice de vinho - brinquei. Ele, no canto do fogão, olhou-me cheio de graça e desconversou.

Olivério Rosa é homem de voz bonita. Canta o dia inteiro, se deixar. A razão do canto é a tristeza que sente. A vida nunca lhe sorriu. Mas ele não desanima. É bonita a tristeza do Rosa. É quase uma tela. As poucas rugas vincadas na testa, a pele morena, os cabelos pretos, sempre curtos e ondulados. O sorriso contradizendo tudo, a existência se diluindo nas palavras dos cantos, catarse que não dói, que se concretiza em harmonias tristes, dissonantes, e que me alegram do outro lado da rua, na proteção que minha janela oferece.

Rosa, Rosa! Ó prosa que não termina! Ó letra que minha mão não sabe escrever! Soubesse eu a razão de teu florescimento ser no inverno, quem sabe assim arrancaria tuas raízes do teu chão e as transplantaria no meu.

Rosa, Rosa! Ó avesso que não vejo, ó beleza que não identifico, ó causa de mim que se oculta! Onde está a chave de tua porta principal? Pudera eu ter nas mãos um retalho de tua alma e com ele envolveria o meu amor e o protegeria das passagens. Rosa, soberana rosa, bem que minha terra poderia merecer o cair de tuas pétalas! Bem que o meu ventre poderia se prestar a ser tua sementeira.

Rosa, ó Rosa! Desejo apenas que um dia, um dia que não tenha nem sol, nem chuva, um dia comum, sem extremos, um dia que seja triste como o teu sorriso e morno como a tua pele, tu atravesses a rua e venha pendurar o teu destino na soleira da porta de minha sala.

Rosa, Rosa! Ó soberano moço que o tempo preserva para desconcertar o meu entendimento! Minha pouca alegria vem de te imaginar ao meu lado. Roçando os braços em noites de frio intenso, rindo por razões poucas, no escuro do quarto sem muito adorno. Teu medo confesso, teus motivos expostos, teu violão calado. E eu cuidando de tudo, feito Deus cuidando do mundo, movendo o tear que dá origem ao tecido da vida.

Os meninos na sala, os ruídos de felicidade; feitura de destino, amor alojado nas musculaturas que crescem. E enquanto não crescem, a gente pegando-os ao colo, descobrindo as nossas feições nas deles, orgulhosos, felizes com o presente, preocupados com o futuro.

Rosa, ó Rosa, pudesse eu trazer o teu calendário para o meu! Quem sabe assim reencontraria a graça de ver chegar dezembro e suas canções de Natal. Quem sabe me reconciliaria com as datas festivas da minha história! Quem sabe redescobriria as alegrias de maio e suas sugestões de felicidades eternas.

Rosa, ó Rosa, se ao menos eu soubesse o dia dos teus anos, teria uma razão, um motivo para atravessar a rua e dar um passo em tua direção! Uma rosa inesperada na tua janela, um gesto que pudesse sinalizar meu interesse, um sorriso espontâneo que demonstrasse o sonho alto de te ter só pra mim. O sonho de te ver atravessar a rua. Violão colado ao peito. Sorriso denunciando a alegria da iniciativa.

Rosa, ó Rosa, se ao menos eu tivesse um Deus a quem recorrer! Um Deus todo-poderoso que pudesse ouvir o meu choro; que fizesse acontecer o extraordinário; que abrisse; mares, derrubasse muralhas, mas não. Deus me pede ajuda o tempo todo, e por isso a orfandade prevalece em mim. Eu conheço o avesso de sua divindade, e sei quanto lhe custa o amor que tem pelo mundo. Diante de tudo o que sei dele, não posso ser mais uma a lhe pedir favores.

Rosa, ó Rosa! Se ao menos eu pudesse contar com tua divindade humana. Se ao menos pudesse rogar por tua proteção, pedir no momento de meu desespero que tenhas piedade de mim! Se a mim fosse concedido o direito de colocar minhas intenções na tua janela. De elevar-te aos altares de minha vida e nomear-te o meu todo-poderoso, e quem sabe assim eu expulsaria do peito esse sentimento de orfandade.

Rosa, ó Rosa! Tenho certeza de que Deus não me puniria. Eu certamente receberia dele a alforria desejada. Seguraria minhas mãos e comigo atravessaria a rua, para transformarmos a tua casa em meu território santo.

Rosa, ó rosa do meu destino! O meu desejo é pouco, mas ainda assim é alto demais para mim.

Pudera eu ter um pai em cujo colo eu pudesse colocar o meu pedido, mas não, sou órfã. E assim vou. Arrastando essa sina de repetir no tempo o mistério da encarnação, só que dessa vez, sendo a mãe pecadora.

Rosa, ó Rosa. O avesso do meu amor é esperança. Assim como o avesso do amor divino é orfandade. É na esperança que eu descubro destreza para me debruçar sobre a janela de onde te encontro. É dela que eu olho o futuro. É dela que eu olho a tua casa, o teu mundo, o meu santuário desejado. É nela que eu aprendo que o amor costuma morar do outro lado da rua. O desafio é fazê-lo atravessar a pequena distância. Amores são mais bonitos quando impossíveis. Feito rosa que descansa à distância, insinuando um vermelho vivo, que de perto é desbotado. O amor deixa de existir quando deixamos de imaginar. Eu imagino, Rosa. Eu imagino!

Feita para o sacrifício

Os desatinos do corpo ainda persistem. O tempo não tem o poder de acorrentar a libido, mas apenas aconchega o desejo em outras modalidades de amor. A dissimulação inconsciente resguarda a intenção. A caridade é sexo em praça pública. E não há problema algum em justificar assim o amor que nutro pelos miseráveis. É gozo recolher no leito o que antes estava ao relento. É carícia nos seios, mas que recebo na alma.

O prazer se prolonga, toma os espaços, dilata as sensações. Não há lençóis a serem lavados, nem necessidade de banho. O que há é o sorriso que não tem atrativos físicos, o contentamento dos pobres, o olhar que atualiza a Galiléia nos meus dias, com seus leprosos, viúvas, prostitutas e renegados.

O meu amor a Cristo é carne viva. É sangramento de menstruação eterna; é hemorragia contida, represada. É pedra no rim em noites sem sono, é vigília ao redor do leito de quem não tem ninguém na vida, a não ser a mim. Meu amor a Cristo é choro de criança medrosa, saudade de mãe, lousa empoeirada de giz, merenda fria que acentua ainda mais a sensação de solidão e orfandade. É tosse incessante, resfriado, nó na garganta, cólica de vesícula. É rosto na esquina esperando cliente, conselho convincente que faz a menina vestida de gente grande voltar pra casa, reencontrar os brinquedos, as aquarelas, a inocência e os cadernos com suas lições tão exigentes.

Muito cedo desejei ser freira. Tinha ainda no colo a boneca que me distinguia dos homens, e a redobrada vigilância para que não retirasse a calcinha perto deles. Eu era só uma estrutura franzina; um corpo feito para o sacrifício, sem cremes, sem cheiros, sem roupas coloridas. Era a última da fila, a menor de todas, aquela que mantinha os olhos sempre baixos, a que sonhava com uma caixa de lápis de cor com trinta e seis unidades.

A vida sem cor, sem lápis, sem palavras. A vida na sua medida menor, estreita, mesquinha, onde o vivente tem o ar, e nada mais. A vida sem futuro. A vida só daquela hora, sem muitos espaços, sem atrativos, recursos. A vida e sua duração. Dura e dolorida ao mesmo tempo. Assim era.

O tempo se encarregou de me levar. No remanso dos dias eu segui. Feito rio buscando afluentes, desejosa de que minha cruz merecesse Cirineu, e de que minhas bodas merecessem o milagre da transformação.

Meu calvário teve inúmeras estações. Correspondente ao pretório, irmã Escolástica. Olhou-me com ar de desprezo e me considerou pequena demais para ser admitida no Convento. – Precisa crescer! – disse com voz ríspida. – Pena que as medidas da alma nem sempre correspondem às medidas do corpo! – pensei sem saber dizer.

Mas o que deveria valer nesse caso era a medida da alma. Uma freira tem de ser grande é por dentro. Grandeza que se adquire no muito ser pequeno, no muito carecer.

A grandeza de Jesus é demonstrada nas frases em que Ele suplica por ajuda. É quase um despropósito, mas a onipotência divina só pode ser explicada no seu muito amar. E amar é o mesmo que necessitar. É romper com a pecaminosidade do orgulho e estender as mãos. Eu estendi. Pedi que irmã Escolástica me olhasse melhor. Que me visse sem os saltos que sua superioridade lhe oferecia. Pedi que olhasse para baixo, que me imaginasse de hábito. – O hábito me tornará maior – argumentei.

Referente às quedas, estas foram muitas. O postulantado foi um tempo de receios. Temia não alcançar os resultados necessários. As exigências eram grandes. Aprender o latim, a vida dos santos, as Constituições da Congregação. Resultados medianos para esforços sobre-humanos. Como sempre, a vida e seus infortúnios. A vontade vencia o cansaço. As noites maldormidas me reportavam aos medos da primeira infância. O cheiro do fogão em permanente atividade e o revezamento de minhas irmãs nos tachos de doce.

A produção caseira era o sustento da vida. Minha mãe não sabia reclamar. Meu pai era mestre nessa arte. Os equilíbrios dos corpos eram mantidos à base de café. Driblavam o sono com cafeína e música silenciosa nos lábios.

A solidão da cela recordava-me a solidão do quarto. Eu acompanhava o levantar e o deitar de minhas irmãs. De duas em duas horas fazia-se o revezamento. No convento o revezamento era na adoração ao Santíssimo Sacramento. Cada irmã tinha a obrigação de ficar uma hora e meia, ajoelhada, diante do altar. As mais velhas estavam dispensadas do ofício, mas era quase uma ofensa propor que não entrassem na escala. – Quero morrer no genuflexório! – dizia ternamente irmã Agnes. – Um caminhoneiro não morre na estrada? Pois bem, quero morrer no específico de minha vida! – concluía com sabedoria. A felicidade se escondia no cumprimento do oficio.

O cheiro de incenso prevalecia. Corredores, celas, refeitório, tudo estava misticamente impregnado. Os odores são sagrados, aprendi. Este era o cheiro do meu homem. Em minha cela, local de minha identificação, o cheiro de Cristo invadia o meu corpo. Era como se tudo estivesse tocado pelo seu poder. Minha carne, em absoluto estado de entrega, experimentava a candura de um repouso nos braços redentores do filho de Deus. Os lábios levemente entreabertos pareciam receber um beijo de boa-noite. Beijo de um amante que não se despede, mas promete a sentinela durante o tempo em que dura a permanência da escuridão. Amante que não se vai, que não se cansa de olhar a criatura amada e que não se dispersa em outros amores.

O tempo do noviciado foi marcado pelo silêncio. Durante todo o dia, apenas meia hora era reservada às partilhas espirituais. O restante do tempo nós o ocupávamos com orações e meditações. Por vezes, o desespero. Desejo de gritar, de correr nua pelos corredores, desamarrar as cortinas, quebrar os santos, ouvir música profana, sair pelos portões e oferecer minha virgindade ao primeiro transeunte. Desejo de levantar as saias da madre superiora e de colocar fogo em seus cabelos.

Por vezes, a santidade absoluta. O desejo de morrer casta, de rezar rosários inteiros de joelhos, subir a via-sacra em dias de chuva e ficar resfriada por amor. Desejo incontido de caridade, de cuidar sem descanso das irmãs idosas e oferecer-lhes dedicada atenção. Variações que o silêncio provoca. Calada a boca, fala a alma. As vozes da alma são mais ousadas. Estão livres das regras gramaticais. A ausência de tempos verbais provoca o descontrole. A alma se perde em sua comunicação sem regras. Não há pontos, virgulações, parágrafos. Tudo ao mesmo tempo, sem seqüência e estatuto.

As vozes da alma são heréticas. Não sabem teologia e desconsideram a doutrina. Ontem mesmo me descobri pensando absurdos sobre a Eucaristia. Imediatamente me coloquei a pedir indulto no consolo de uma jaculatória.

O noviciado foi tempo de heresias absurdas. Certa feita ousei duvidar da veracidade da última ceia. Achei absurdo que a mãe de Jesus não tivesse sido convidada. Pensei que pudesse ser uma elaboração machista das primeiras comunidades só para justificar a não ordenação das mulheres. Depois a heresia se foi de mim. A dúvida permanece. Dúvida sem heresia é experiência de fé. É atitude de resignação que nos faz crescer em sabedoria.

Depois do noviciado, a alegria dos primeiros votos. Ser só de Jesus. Alegria que me consumiu por inteira. O primeiro hábito, a sensação de ser grande, o véu sobre os cabelos, a sutura na alma, um visgo me prendendo aos desejos de Deus. A eternidade, por um instante encostando suas labaredas em minhas pernas, e eu, estreando na vida religiosa, tal qual a atriz estréia o seu espetáculo.

Desde então tenho consumido os meus dias combatendo a usura, a luxúria e outras fraquezas capitais. Não possuo quase nada. Em minha cela prevalece o despojamento. O hábito que me cobre o corpo é quase uma segunda pele. Envelhece comigo. Ganha rugas, vincos, perde a cor, a textura. Meus estudos não foram muitos. A caridade foi quem me educou. A Teologia, a pouca realmente aprendida foi a que minha avó me ensinou. Tenho saudade de seu tear. O barulho suave me fazia dormir depois do almoço. Ela ajeitava para mim um pequeno colchão na proximidade de seus pés, e ali eu era colocada. Eu ficava olhando os novelos de linha se movendo à medida que o tear realizava o ofício de entrelaçar os fios. Minha avó parecia ser como Deus. Eu ali, na insignificância de minha pequenez, a adorava e a reverenciava. Humanos podem ser como Deus. Basta que descubram a sacralidade do ofício que exercem. Neles há uma parcela sagrada que Deus esqueceu no mundo, quando pelo mistério da Encarnação veio passar um tempo entre nós. O inteiro de Deus preenche nossas metades.

Tenho buscado a inteireza, mesmo nos gestos menores. Um curativo que faço na carne de um miserável repercute no mundo inteiro. Feridas são curadas aos poucos. O mundo também. Minhas mãos são pequenas, mas realizam milagres. Minhas habilidades humanas atualizam no mundo a bondade de Deus. Eu sou a carne do Deus invisível. Sou seu tu. Sou os olhos pelos quais Ele vê o que precisa ser feito, e, depois, os braços que realizam a ação que é Dele, em mim. Sinergia? Talvez. Não sei dar nome a essas coisas. Só sei sentir. Tenho medo de dar nomes e me tornar herética. Melhor o silêncio da fé, a crença que ainda não tem conceito estabelecido, que não sabe dizer, mas que pulsa e motiva a existência e suas tramas.

No mais vou seguindo o meu calvário. Vez ou outra tenho vontade de permanecer na terceira queda, esquecer a continuidade do percurso, desprezar o lenço de Verônica, o ombro do Cirineu e livrar-me da humilhação que é inerente à crucifixão. Mas aí me recordo de que a ressurreição só é possível depois dos cravos, do madeiro, da nudez vergonhosa e do golpe de lança.

Ando com meu coração à mostra. Não sei viver de outro jeito. Prefiro ser Isaac, com seus medos e temores, a ser Abraão, com sua coragem equivocada. Eu não nasci para a coragem profética. Fui feita para o sacrifício.

A costureira

Ando tão apertada de costura que se o dia tivesse vinte e cinco horas ainda sobrariam três ou quatro botões para pregar. Essa vida anda depressa demais. Quando menos imagino, o dia já se foi, esse desaforado!

Vivo para ajeitar as mulheres. Prepará-las para ocasiões. São jantares, casamentos, formaturas. Vivo para ajudar a esconder os defeitos. A gordura localizada, a estria, a celulite. Em situações mais raras, saliento as virtudes.

Adelaide Moura não costura com nenhuma outra pessoa porque só eu sei esconder aquele culote. Branca Rodarte não dá um passo para fora de casa se a roupa que estiver vestindo não tiver saído da minha máquina. É quase uma ciência a forma com que disfarço a sua falta de seios. Um enchimento aqui, outro enchimento ali. O tecido socorrendo a ausência de carnes. O que falta em umas sobra em outras.

Lídia Boaventura costura comigo por uma razão contrária à de Branca. Nela, a natureza resolveu sobrar generosa. Cores e tecidos a serviço da ação clandestina. Mundo esquisito, meu Deus!

Helena Sobreira não sabe o que fazer com tanta carne. A única cor que lhe cai um pouquinho melhor é o preto. Parece uma viúva eterna.

Eu me exercito no ofício de costurar tecidos desde os 16 anos de idade. Herdei o dom de minha mãe, que por sua vez o herdou de minha avó. Uma ancestralidade!

Fazer roupas é um jeito de ver os bastidores dos acontecimentos. Enquanto todo mundo vê a roupa por fora, eu a vejo é por dentro, nos seus avessos. O que vejo do tecido é sua sustentação primeira, sua trama. Um tecido só é bonito de verdade à medida que possui um avesso que o sustenta. A beleza externa só tem sentido porque há um alicerce no contraponto. Interessante, mas as pessoas são semelhantes aos tecidos. Se não há uma trama de sustentação, não há beleza que possa sobreviver aos desmandos do mundo.

Rosélia Adamastor nunca foi feliz. Talvez tenha sido a mulher mais bela que a nossa pequena cidade tenha conhecido. Mas a sua beleza não repercutiu na sua alma. Não foi o suficiente para lhe fazer feliz. Faltou um avesso de tramas resistentes. É estranho. Já Eliodora Fernandes sempre foi de uma feiúra de dar dó na gente. Mas o interessante é que nunca faltou um sorriso naquela criatura. O avesso foi bem feito.

Mulheres por dentro e por fora. Mistérios que me despertam coragem para continuar costurando. Minha máquina é minha realidade. É dela que parto para os meus sonhos. O que materialmente corto, ajunto e costuro, de alguma forma repercute dentro de mim. Eu toco constantemente os bastidores da vida. E é a partir desses avessos que construo pontes que me levam para outros mundos.

Eu costuro a realidade com linhas de sonhos. Imagino. E no ato de imaginar sou retirada para dançar, repito a sobremesa, comento a elegância dos adornos; troco olhares com o garçom. Rodopio enquanto danço pelo salão; recebo elogios pela escolha do penteado, a seda do vestido. Tudo isso sem sair de minha máquina. As linhas que entrelaçam os tecidos suturam o meu coração a realidades inexistentes.

E por isso sou especialista em ver além das aparências. Sei do que os tecidos são capazes e as viagens que proporcionam. Se não tivesse essa habilidade não me restaria muita coisa. A vida na castidade, o corpo preservado, as pernas sem destinos, os cabelos sem fitas, o pescoço sem colares. A vida na mais perfeita e absoluta normalidade. Nenhum risco no calendário, nenhum dia convidado a sair do esquecimento, nenhum convite pregado na geladeira, nada que anuncie um sábado com aspecto de primavera: horário marcado no salão, atenção especial para um corte de saia e blusa, retoque de tinta no sapato de ocasião.

Eu viajo é nas cores dos tecidos. Quilômetros e quilômetros de linhas me levam pelo mundo afora. O meu porto é a minha máquina. Nela eu sacramento partidas que não terminam nunca.

Aprendi muito cedo que o sonho é mais que a realidade. No sonho, o cruel se desfaz com a mudança de foco. É simples. É só deixar de pensar. Se a paixão não convém é só trocar a cara. Fácil de resolver. A imaginação permite retoques, mudanças constantes.

De Belo Horizonte a Paris eu levo um segundo. Não pago passagem, nem tenho problema com excesso de bagagem. Eu vou leve. Esqueço as roupas. Volto pra buscar. Troco a cena. Mudo o clima.

Faço vir a chuva para dormir logo. Invoco o sol para o meu mergulho e imagino a neve para amenizar o calor. Acendo lareiras nas noites frias; encontro a promissória perdida; ganho na loteria, e divido o prêmio com os pobres.

Na angústia, adio a decisão. Na agonia, antecipo o fim. Na alegria, prolongo o início. O tempo não tem poder sobre minha velha máquina de costura. Ela o desafia constantemente. Desafio que demonstra intimidade, parceria. Minhas pernas não andam, mas chegam. Chegam aos lugares que aos sonhos pertencem.

O homem amado, o amor miúdo de toda hora, a espera no portão, o medo de que ele se atrase e que desista por vergonha, que não mande recado. Medo de que a espera fique superior ao tempo reservado para as esperas que se confundem com a alegria.

A casa sem número ainda em construção. A planta discutida; o desejo partilhado de uma varanda que nos proporcione uma visão do outro lado da rua. O lugar não habitado, clandestino, iluminado por um poste de madeira. Os insetos voando em movimentos circulares, tais como os amantes ao redor de suas esperanças. Coisas pequenas que nos fazem reviver os encantos dos tempos já idos, vividos, ancorados nos porões da memória, dos dias em que a vida era acontecimento certo, rotina garantida, panos estendidos à espera de corte.

Eu não sei viver de outro modo. Quando quis a realidade, ocorreu-me a solidão e o despreparo. Vi o tecido da vida se desprender de minhas mãos, e com ele a minha habilidade. E naquele dia, o vestido de Eliane Vieira não ficou pronto a tempo da ocasião para a qual ela o havia solicitado.

O choro incontido o dia inteiro, a dor na alma, o inchaço nos olhos, a pouca visão. O fogão de quatro bocas com o cozido de minha preferência permaneceu intacto. Rosalinda não ousou perguntar a razão da tristeza. Apenas anunciou que já estava indo e que se precisasse eu saberia onde encontrá-la.

A noite com suas demoras parecia despencar as estrelas sobre o teto do meu abrigo. A dor tinha cheiro de hortelã. Não sei a razão. Tristeza nem sempre tem razão. Apenas dói com seus cheiros estranhos.

As dores da infância tinham cheiro de dama-da-noite. A pequena planta ficava na beirada da porta da cozinha. A mesma porta sempre entreaberta para que meu pai pudesse entrar em casa depois de suas aventuras, quando a madrugada já era a dona do mundo.

Não tê-lo em casa causava um imenso arrocho no meu coração. Boca seca, descompasso na fala, olhos curiosos, mãos sem lugar, sem coragem de pegar o rosário para uma oração que afastasse meu pai da infidelidade.

A cama estendida, os lençóis intocados, a vida seguindo o curso de sua passagem. As horas, os minutos, os segundos, o tempo.

O silêncio vez ou outra era quebrado de forma sutil por um movimento de mulher que esperava. Vinha do quarto de costuras. O barulho da máquina de minha mãe era tão manso quanto suas alegrias.

Eu tantas vezes quis sair do quarto, crescer no tamanho e na coragem, vestir um vestido de mulher adulta, tomar minha mãe pelos braços, abrir a porta da sala, acender um cigarro, e esbravejar com voz de quem já havia vivido duzentos anos. – Vamos buscar aquele vagabundo na rua! – Sentia-me imensa por dentro, mas o corpo só tinha 8 anos. Queria resgatar minha mãe de sua espera torturante, mas eu ainda não era capaz de amarrar os meus sapatos sozinha.

Num certo dia de agosto, quando os cães enlouquecem de tanto calor, a porta da cozinha amanheceu entreaberta. Sentada em sua máquina, minha mãe viu que o dia havia amanhecido sem que seus ouvidos tivessem ouvido o bater de porta que nos aliviava a existência.

Sozinha no meu quarto eu havia acompanhado a vigília de minha mãe. Quando coloquei a minha cara na porta da cozinha, pela primeira vez pus minha atenção na profundidade que havia no cheiro da hortelã.

Manoel Carreira estava chegando pelos fundos, gritando pelo nome de minha mãe. A notícia foi dada sem rodeios: meu pai estava morto.

Desde então, minha mãe iniciou-me no ofício de costurar tecidos. Ensinou-me os segredos das texturas e das cores. Foi com redobrada atenção que me ensinou a puxar da máquina, juntamente com as linhas dos carretéis, as linhas dos sonhos. Ela dizia: – Tem de enxergar o que a cliente quer! Ajude a transformar o sonho em realidade! –, insistia.

E foi assim que o sonho se tornou a minha realidade.

Quando minha mãe morreu, eu já acumulava 26 anos. Ao chegar em casa, depois do sepultamento, entrei em seu quartinho de costura. Ainda havia carretel de linha colocado na máquina. Um pedaço de tecido azul-marinho estava cortado, pronto para a costura. Um outro pedaço de tecido branco estava riscado como detalhe para a gola, pronto para o corte. Um paletó de mulher, eu percebi. O paletó que estava fazendo para ela mesma. Os aviamentos, pequenas amostras de sianinhas estavam colocadas ao lado do tecido. Intuí que a escolha ainda não era definitiva. Dois modelos de botões também estavam reservados.

Já era fim de tarde. A dama-da-noite começava a demonstrar que existia. Sentei-me na máquina e pus-me a fazer aquele paletó de mulher. Uma costura a quatro mãos. Mãos vivas, mãos mortas. O que ela havia começado eu resolvi terminar. Cumplicidade só possível aos que amam sem os limites do tempo. Um paletó que seria usado em ocasiões simples. Missa das 6 da manhã – mesmo no verão o vento era frio naquela hora –, uma visita ao Santíssimo Sacramento nas noites de quinta-feira, ou até mesmo as pequenas comemorações do grupo da terceira idade.

Enquanto costurava, pude experimentar a minha dor com todas as suas conseqüências. – Já não há razões para este paletó! – pensei. Já não há mais o corpo que iria vesti-lo. Os dois pequenos bolsos não aquecerão as mãos calejadas de tesoura e agulhas. As mãos desaprenderam de ser vivas. Já não movimentam o risco, o molde, o corte e a fechadura da porta.

Algumas horas depois escolhi os botões. Decidi com segurança pelo que tinha detalhes de flores delicadas. Senti-me orgulhosa por conhecer os gostos de minha costureira favorita.

Quando dei por mim, a noite já estava avançada em horas. O tempo que durou o meu ofício partilhado não pertenceu à natureza do tempo que passa. Pude notar em mim algo superior. A costura daquele tecido extrapolou a materialidade. Ela foi além. Atingiu também a minha alma. Costurou-me de forma definitiva às mãos que me fizeram mulher, ao ventre que me teceu para o mundo, o avesso de minha sustentação. Cumpri na minha carne o milagre bonito da continuidade, e por que não dizer, da ressurreição gloriosa.

Ao terminar o que ela havia começado, eu colocava os meus pés numa missão evangélica, semelhante à que os discípulos de Jesus precisaram cumprir para que o Mestre não morresse na morte. Depois da pedra posta, os passos precisam reencontrar a direção da vida. E foi o que eu fiz. O ritual de sepultamento terminou ali, na ressurreição que a máquina de costura me proporcionou.

Há coisas que a morte não sepulta porque pertencem à vida eternizada. Minha mãe está em mim. E liturgicamente eu pude repetir: – Ela vive. Ela reina. Ela está no meio de nós!

Terminado o paletó, abracei-o e dancei com ele uma valsa de despedida e de saudade!

Doente de amor

Queixava-se sem razão. Casada com Alvino Ribeiro, nunca precisou enfrentar fila de atendimento público para encontrar um doutor que lhe medicasse sua constante dor de cabeça. – É sem alívio! – dizia orgulhosa por saber sofrer. Às vezes esquecia a dor. Redobrava o cuidado para não expor os joelhos, e justificava-se constantemente de que o motivo era o ciúme doentio de Alvino. Não sabia viver sem um motivo obsessivo. Gostava de dizer-se perseguida, invejada, alvo de calúnias e outras querelas.

Gostava mesmo era de provocar as atenções. Certa vez simulou um desmaio, por ocasião de um desfile de sete de setembro. Não suportou o encanto que a cavalaria despertou em seu marido. Não pensou duas vezes. Observou a limpeza da calçada e despencou com ares de abatimento. Disputar com um desfile daqueles era demais para ela. Temia que a pátria, a cavalaria, as mocinhas malabaristas com seus bastões coloridos lhe ofuscassem ainda mais o brilho, o espaço.

Gostaria de receber uma homenagem em praça pública. Ver aquelas meninas fazendo gracejos circenses com suas saias de bailarinas. Ouvir a banda municipal entoando uma composição especialmente preparada para ela, e perceber os olhares dos cavaleiros se insinuando libidinosamente para ela, enquanto Alvino morreria de ciúmes. Queria também ser homenageada. Mas por quê? Era uma mulher comum, sem muitos encantos e posses. O único bem que tinha em seu nome era um lote na travessa Rodarte Vieira, que a bem da verdade ela tinha até vergonha de contar que tinha. O passado daquela travessa não era nada familiar. Comenta-se a boca miúda que as pessoas que moravam naquelas paragens eram de péssima reputação.

Mas o que ela queria mesmo era um plano de saúde. Maravilhava-se diante da possibilidade de ir ao médico todos os dias. Medicina especializada. Esquadrejar o seu corpo e entregá-lo aos especialistas, aos exames mais apurados, radiografias, tomografias computadorizadas, coletas de sangue diárias. Quanto prazer experimentaria!

Queria mesmo era ter uma pedra na vesícula. Ficar deitada o dia todo recebendo sopas na cama. Com as sopas viria o cuidado do Alvino, a redobrada atenção esponsal. Aproveitaria a oportunidade para pedir-lhe aquele bendito elefante de cristal que vira na Perfumaria Glória por ocasião de sua visita a Belo Horizonte. Quando o viu, achou que caberia muito bem na mesa de centro da sala de visitas. O grande problema é que o preço não coube na cabeça do Alvino, que diante da primeira solicitação de compra por parte da esposa só resmungou – Procura outra coisa! Quem sabe assim, estando acamada e fragilizada, com uma pedra lhe pesando a vesícula, ele mudasse de idéia.

Ela conhecia o poder da enfermidade. Lindalva Florita convenceu o Moreira a trocar o jogo de quarto bem no auge de sua depressão. Fez parte do tratamento. Mas ela não se prestaria a esse papel. Uma depressão poderia render coisa bem melhor. Um jogo de quarto pode ser muito bem fruto de uma pequena complicação renal.

Por um momento, ficou pensando no que pediria ao Alvino, caso ficasse depressiva. Um colar de pérolas? Não, muito pouco! De diamantes! Mas para usá-los onde? Para fazer compras na mercearia da Jandira? Jantar na casa da comadre Sãozinha, a mais fina de suas amigas? Não. Um colar de diamantes é um sonho que não cabe em seu mundo. Seria um prazer solitário.

A propósito, não havia muita publicidade em seus prazeres. Gostava de recolher pratos após as refeições e observar o olhar de Alvino acompanhando seus movimentos. Gostava de imaginar os pensamentos dele naquela hora.

Gostava que os outros a achassem polida, diferente das mulheres do bairro. Prazer público era ouvir Margarete lhe elogiar o jeito com que escolhia os tomates em sua barraca de feira. – A senhora aperta sem agredir –, dizia. Ouvia e acolhia a frase como reconhecimento da nobreza que julgava possuir. Embora fosse criada na roça, distante dos costumes finos, sentia-se diferenciada por gostar de pinturas em porcelana.

Alvino muitas vezes a recriminou por gastar dinheiro com aquelas bobagens. Bobagem! Bobagem é ficar comprando ovos para alimentar canarinhos. Em vez de cuidar da gente, fica perdendo tempo com bicho! – indignava-se sem dizer.

Pensou em adquirir um cão. Adquirir não, adotar. É mais sentimental. Com o tempo, passa a fazer parte da família. Gostaria de ganhar um filhote, ou de descobri-lo num cesto de vime na porta da sala. No pescoço, um pequeno colar informando: meu nome é Rex. Se tivesse que comprar iria se encontrar na obrigação de chamar o pobre do bichinho de José do Egito, só pra lembrar o sofrimento do filho vendido que quase virou faraó.

Um cachorro a ajudaria a enciumar o Alvino. Era um prazer quase cirúrgico, vê-lo vigiá-la com o rabo do olho, quando servia um café aos amigos reunidos no alpendre. Fazia questão de se perfumar para cumprir esse favorzinho.

— Quer mais café não, José Bonifácio? – Perguntava com doçura mais intensa. Sabia que Alvino tinha um desconforto maior em relação ao José Bonifácio. Talvez pelo jeito com que lhe desejava boa noite quando chegava. Nunca era só um "boa noite". Tinha sempre uma perguntinha a mais. E geralmente era referente à saúde. É claro que isso rendia um caldo maior. Queixar-se de enfermidades era o seu prazer!

Passava horas e horas descrevendo os detalhes dos seus exames de sangue. A hemoglobina está baixíssima! – apressava-se em contristar as expressões do rosto, para dizer. Era quase uma vitória apresentar alguma deficiência nos resultados. Não saberia o que fazer diante de um exame em que estivesse tudo normal, e que não lhe oferecesse preocupações. O que diria ao Alvino? Estou bem? Imagina! A vida perderia o significado. O amor só existe é na ameaça. Ele transita é nos trilhos que beiram o abismo. Marido ama é mulher enferma, ameaçada de partir a qualquer momento.

Foi só a Rosa se curar do câncer e o Manoel Rodrigues já se enrabichou com uma mulher da vida. Durante a doença foi um marido devotado, fiel, submisso, quase um cão. A cura do corpo trouxe a doença da alma.

Queria mesmo era o Alvino por perto, solícito a lhe oferecer uma Cibalena com meio copo de água para lhe aliviar a dor de cabeça. Em dias de dores mais agudas, ele mesmo lhe colocava rodelas de batata na testa e ainda lhe dizia com voz paternal: deixa que eu faço a janta! Aquilo era a melhor coisa do mundo. Ter o marido ali, aos pés da cama, feito um criado mudo, pronto para buscar-lhe um copo de leite com hortelã, um antiácido, ou até mesmo uma bacia de alumínio, caso tivesse a graça de sofrer uma ânsia de vômito, na frente dele.

A frase no espelho

Ninguém soube explicar as razões da desistência. – Não quero mais, pronto e acabou! – Única frase de Rosa Helena. O resto foi desconcerto entremeado de crises de choro, desmaios, e biscoitos de polvilho salgado para elevar uma ou outra pressão arterial descontrolada.

A Rosalina, irmã mais velha da moça, quis intervir, mas de nada adiantou. Rosa Helena estava decidida. Não iria mais se casar.

O salão da paróquia já estava preparado. Uma equipe da capital veio especialmente para decorar o ambiente. Até as paredes do salão paroquial receberam revestimento especial. Isso iria poupar os convidados de se constrangerem com a frase pintada em letras garrafais na parede central: "Dízimo, uma questão de amor!".

Ninguém merece degustar uma coxinha de frango com catupiri e fazer um exame de consciência ao mesmo tempo.

Havia também o receio de que, depois de servidas algumas garrafas de vinho, a frase virasse motivo para chacotas entre os convivas. Fato que ofenderia profundamente padre Dilermando, que desde sua juventude esmerou-se para implantar na comunidade o preceito bíblico que a frase salienta.

A igreja já estava pronta. Flores do campo e lírios amarelos concediam um ar de solenidade à matriz de Santo Antônio.

Depois de muita luta, Salete, a sacristã, permitiu que a equipe da decoração retirasse do altar os cartazes da Campanha da Fraternidade, que naquele ano refletia sobre as questões indígenas no país. Além dos cartazes, depois de pequenas ameaças de agressões físicas, permitiu que retirassem também algumas frases recortadas em isopor e revestidas de papel laminado azul claro.

O conflito já estava resolvido, mas o que se vira antes da concessão é fato que não se deve descrever. Tira índio, põe índio. Leva índio, traz índio. Os gritos aumentavam. Tira índio, Põe índio. - Vai você e esse índio à merda! - Gritou visivelmente transtornada a mocinha que coordenava a equipe que veio da capital para os adornos.

Foi então que Manoelzinho, tentando rezar o último mistério do terço, resolveu intervir:

— Ó Salete, minha fia. O povo vem lá da capital pra embonitar a igreja pro casamento da Rosa Helena e ocê fica trapaiando, sô. Colabora com eles, uai!

Na voz embargada de Manoelzinho era possível perceber o orgulho por saber conjugar na sua frase o verbo colaborar.

Esbravejando, Salete pôs os índios debaixo do braço e saiu pisando duro e soltando flechas invisíveis.

Outra mudança que a equipe solicitou foi a transferência de imagens. Santo Antônio, que ocupava o altar central, iria para o altar lateral, onde ficava a imagem de Nossa Senhora das Graças, e esta, por sua vez, ocuparia a centralidade do altar durante o tempo em que durasse a cerimônia.

Foi então que Salete esbravejou: – Isso eu nem vou pedir pro padre Dilermando porque se ele souber que ocêis estão querendo fazer um papelão desses com Santo Antonio, ele vem aqui e escorraça todo mundo da igreja!

— Mas que problema tem colocar a Nossa Senhora no altar do padroeiro só por uma hora? – perguntou uma das moças da capital à sacristã enfurecida.

Foi então que Salete desabafou pausadamente, cuidando para falar bem o português – Olha aqui, moça! Pelo que eu estou percebendo, a senhora não entende nada de religião. Benzinho, o padroeiro aqui é Santo Antônio. Sabe o que significa padroeiro? Significa aquele que manda mais. Se a igreja fosse consagrada a Nossa Senhora das Graças, ela é que mandaria aqui; mas não. O poderoso aqui é o Santo Antônio, e isso nós não podemos mudar, minha querida. Coloca isso na sua cabeça, minha filha! – concluiu Salete em tom de exortação dogmática, quase autoridade eclesiástica!

— Mas nem por uma tarde essa autoridade pode ser mudada? Dizem que os santos são tão amigos! Será que Santo Antônio ficaria ofendido se trocasse o lugar com a mãe de Jesus? – perguntou um rapaz delicado, com ares de meiguice!

— Aí eu já não sei meu lindinho, mas eu acho que continua não podendo! –encerrou Salete a questão em tom definitivo, quase arcebispa local.

Tudo isso aumentava a vergonha da família. Um aparato daquele para nada.

— Onde é que Rosa Helena está com a cabeça, minha gente! – Essa era a frase que dona Eufrásia, a mãe da nubente repetia como se rezasse reza de uma frase só.

O pai, o sargento Félix Duarte de Souza, resolveu se fechar num silêncio obsequioso. O curioso é que já passadas seis horas da desistência e ele ainda resistia em retirar o terno. É como se ainda nutrisse alguma esperança de que um fato novo pudesse surgir e reverter a decisão da filha.

— Alguém precisa contar o fato para dona Isaura, gente! – Alertou Inácia com voz engasgada como se estivesse prestes a sepultar um ente querido.

Isaura era a avó materna de Rosa Helena. Senhora distinta, avançada em anos, preservara da juventude a elegância e discrição. Ninguém se arriscava a subir as escadarias do sobrado para dar a notícia à velha. Nos últimos meses só falava da alegria de ver a neta se casar. Ainda estava no quarto, vestidinha com suas meias três quartos e seu xale de tricô jogado sobre os ombros. Com o terço nas mãos ela rezava pela felicidade da neta.

O Jurandir, o noivo, era um nervo só. Hortência, sua mãe, repetia uma única frase, tal qual um monge a repetir o seu mantra – Eu te falava, Jurandir. Essa moça não vale nem o sal do batizado dela! Mas você não quis me ouvir, não quis me ouvir!

Enquanto alguns sofriam, no mesmo instante, no mesmo tempo cravado no relógio, outros especulavam e descobriam na tragédia um motivo para riso.

Elvira comenta a boca pequena que sempre desconfiou da masculinidade do rapaz. – Sei não, mas aquele jeitinho delicado de cumprimentar a gente nunca me enganou. Rosa Helena deve ter descoberto alguma coisa muito grave dele! – dizia em tom de análise, quase psicóloga.

Mas foi então que a filha caçula de Regina Freitas interferiu: – Imagina, eu tenho certeza que ele é homem! – Assustadas, as mulheres se entreolharam sem dizer palavra. Mais tarde, a Graça do Miguel Fernandes teve coragem de perguntar à Maria do Fernando açougueiro – Será que a menina já se perdeu? Sei não, mas ela falou da masculinidade do rapaz de um jeito que chegou a me dar um arrepio na nuca – finalizou em tom de mistério, quase uma cigana. – É uma tristeza, pensar que uma menina com essa idade já esteja perdida. – Único comentário de Maria do Fernando açougueiro em tom de indignação, quase promotora.

A noiva sorria ao olhar-se no espelho. Agradecia a Deus pelo dom de ter sobrancelhas. Qual seria a graça dos olhos sem essa moldura tão delicada? Sorria um riso que brotava com uma leveza austera, própria de quem sabe obedecer aos desmandos do coração, mas sem perder as referências do bom senso. Sorvia naquela hora uma felicidade tão absoluta que chegava a sentir-se inapta para a tristeza. Sentada, feito uma dama em noite de gala, pensava no quanto a palavra "não" é geradora de "sins".

Outrora aprisionada na promessa do amor eterno; na perspectiva de misturar o seu sangue no de Jurandir; cozinhar feijão três vezes por semana, arear panelas, rezar novenas ao Menino Jesus de Praga pedindo pela saúde dos filhos; e agora ali, livre de tudo isso.

Diante do espelho, unhas pintadas com esmalte de cor denominada "doçura". Vida pronta para recomeçar, marcha nupcial silenciada, Ave Maria de Schubert engasgada na garganta do tenor que veio da capital só para musicar com ternura mariana a troca das alianças.

O espelho lhe deixa observar. Nele, o segredo que a cidade tanto deseja saber é silenciosamente escrito com um batom vermelho.

No mesmo instante, enquanto os índios se amontoavam dentro do armário de cartazes, a sacristã acompanhava a desarrumação da igreja.

— Nisso é que dá querer tirar Santo Antônio do lugar dele! - pensava alto. Bulir com santo casamenteiro só dá desarranjo! - concluiu Salete, orgulhosa de sua Teologia de almanaque.

Voltando-se para Rosilda, a virgem beata e recatada que estava no canto da sala, quase parte da mobília, de tão muda, dona Eufrásia solicita chorosa: - Pede ao doutor Raimundo para vir dar uma olhadinha na pressão do Félix pra mim!

— Esse homem se não morrer de desgosto, pelo menos um enfarto ele vai ter! - concluiu dona Cinira Leôncia, em tom de diagnóstico, quase cardiologista.

— Eu não tenho coragem de botar a minha cara na porta da rua para o resto da minha vida! - desabafou Edelfina, tia solteira da noiva, em tom de discurso, quase senadora.

Padre Dilermando fechou-se em copas. Nem uma palavra quis proferir. No instante em que a notícia chegou aos seus ouvidos, passou a mão no terço que estava pendurado na cantoneira da sala e não quis mais receber ninguém.

Saberia ele o conteúdo da frase no espelho? O dia seguia segredando a causa.

Pilhas e pilhas de caixas de salgados foram encaminhadas às mãos da Irmã Gertrudes para que distribuísse entre o Asilo Santa Efigênia e a cadeia municipal.

Além do fato de ninguém ter boca pra comer, em dias de tragédia a caridade consola. Só o bolo não teve destino. Os noivinhos em miniatura, vindos do Paraguai, sorriam soberanos e indiferentes na última camada. No meio de um arranjo de flores, aquela marmota de plástico era um despropósito para o momento.

Enquanto o noivo de plástico sorria, Jurandir, o noivo real, no seu canto chorava o seu tanto.

Absorvida em intermináveis intercessões e jaculatórias, dona Isaura desfrutava a tranqüilidade do esquecimento. Vez em quando a tosse lhe recordava a condição humana e a necessidade de um lenço para a coriza. A quebra da mística atualizava no seu pensamento a necessidade de um enfeite para os cabelos e um plano de saúde. Uma outra jaculatória se prestava para fazer esquecer tudo novamente. A demora da vida expressa nos vincos do rosto é afronta no espelho. Àquela hora da noite seu pequeno relógio de pulso, sem pilhas, ainda apontava meio-dia.

O tenor engasgado resolveu cantar assim mesmo. O clássico mariano foi entoado enquanto os índios eram recolocados no altar.

A vida não espera. Apenas dá a notícia, lança a flecha, desencadeia os fatos. Quem quiser que se proteja. Quem quiser que abra a porta do quarto. Que entre, bata na cara de Rosa Helena, que lhe diga umas poucas e boas, e que aproveite para ler a frase escrita no espelho, antes que a morte nos separe deste dia memorável em que a Matriz de Santo Antônio quase se transformou em Matriz de Nossa Senhora das Graças.

No mundo dos santos eu não dou palpite!

A virgem e a origem das enfermidades

Rodolfo é jovem demais para pensar em casamento. Alertei, falei e insisti. Mas o que recebi em troca foi uma ofensa, me trazendo uma enxaqueca que me deixou acamada por mais de duas semanas. Disse que o meu comentário era típico de tia solteirona e mal-amada.

Aquela fala de Rodolfo quase acabou comigo. Ingrato. Se soubesse o quanto me dediquei para ajudar a curar sua bronquite teria medido um pouquinho as palavras. Noites e noites ao pé da cama, velando como se fosse uma lamparina, fazendo compressas de álcool e aplicando pomadas de própolis. Mas a vida é assim mesmo. Gente velha só serve para dar recado e receber insulto.

A ordinária chegou agora e já tomou a centralidade da vida dele. Nem a visita que ele me fazia em dias de sábado ela não deixa mais.

A Zélia não tem coragem de abrir a boca. Quer bancar a mãe moderna. Vê o Rodolfo entrando com a leviana para o quarto e não se opõe ao comportamento. Que absurdo! Fosse ele filho meu sairia do quarto pra levar uma sova no meio da rua.

Ando pensando que as enfermidades nascem das palavras. Essa fala do Rodolfo destruiu minha imunidade. Isso me fez recordar do dia em que a Inaura Sobreira me convidou para acompanhá-la à Festa do Divino, em São Luís do Paraitinga. Só porque não quis provar do "afogado" ela gritou em público, em alto e bom som: – Deixa de ser entojada! – Pronto. Aquela fala humilhante me provocou imediatamente uma fisgada próxima da virilha. Diagnóstico: crise renal. Causa: não querer provar uma iguaria interiorana. Resultado: dois dias internada com cólicas intermináveis e prantos sem consolo.

Uma palavra é uma forma de vírus, ou uma bactéria que entra pelo ouvido e se instala em algum lugar do corpo. Eu não tenho dúvida disso. O problema é que não há vacina que nos proteja desse embondo. Não temos como controlar o que os outros vão nos dizer.

Outro dia mesmo eu estava na fila de um supermercado e uma senhora gritou que eu estava roubando uma rapadura. Não acreditei estar ouvindo uma acusação daquelas. Eu, uma mulher conhecida pela retidão de caráter, oriunda de colégio de freira e de sobrenome portador de tradição, acusada de afanar uma rapadura? Não, eu não merecia ser humilhada assim! O gerente se aproximou e pediu que eu abrisse a minha bolsa. Descontrolada, comecei a tremer feito uma vara verde e já fiquei em prantos. Ao notar que se tratava de um engano, pediu-me desculpas e ofereceu-me um copo de água. Sem coragem de levantar os olhos, só pedi que não me tocasse nem que me servisse água nenhuma. Só me deixasse ir embora.

Abandonei o carrinho no meio do corredor com as compras. Saí de casa porque pretendia preparar uma lasanha a fim de servir no jantar que ofereceria ao Leônidas e à Maria Gertrudes.

Saí do supermercado com cólicas no estômago. Diagnóstico: infecção intestinal. Causa: rapadura cujo lacre nem vi. Resultado: duas semanas sem alimentação, abatimento, início de desidratação, e cada vez que me recordava dos gritos daquela velha filha de uma égua, um gosto insuportável de rapadura tomava conta da minha boca.

É por essas e outras razões que sou a favor da campanha do desarmamento. Se eu tivesse uma arma naquela hora cravaria a cara da jurássica de bala.

Achei esquisita, desde o início, a tal namorada de Rodolfo. Chegou e não cumprimentou ninguém de maneira particular, como convém a moças de família. Mascava um chiclete e limitou-se a levantar o braço em breve aceno na direção de todos nós. Tomávamos juntos a refeição dominical, como de costume. Parecia uma vereadora em campanha de reeleição. Sorriso falso, de canto de boca, displicente e pouco polida.

Quando olhei para o tamanho da saia que ela usava já fiquei apreensiva. Cobria quase nada. Uma economia de pano. Pensei no que meu finado pai diria se me visse dentro de uma peça daquelas. Escrúpulo nunca nos faltou. Mesmo que Lindéia abusasse um pouco nas cores das sombras e batons, nunca deu um desgosto desses ao papai. Lindéia era avançada demais para o nosso tempo. Calça cigarrete, sapatos de salto, pinturas no rosto. Papai olhava com desconfiança.

Lembro-me de que certa vez ele gritou comigo só porque minha saia de uniforme estava na altura dos joelhos. Saí da presença dele e já fui para o banheiro. Diagnóstico: diarréia. Causa: tecido que encolhe após a primeira lavagem. Resultado: dois dias sentada no vaso sanitário e olheiras profundas.

Bem melhor é uma diarréia com possível desidratação do que ficar desavergonhada, feito essa infeliz que Rodolfo nos apresenta como mulher da sua vida. – Meu Deus! Onde foi que a Zélia errou? – fico me perguntando.

Rodolfo estudou no colégio dos jesuítas, fez catequese com a irmã Zulmira e demonstrou um gosto formidável pelas coisas de Deus. Chegou até a pensar em ser padre, coisa que o pai não suportou nem ouvir falar! Mesmo assim, o comportamento agora demonstrado parece contradizer tudo o que a gente sabia sobre ele. Moço polido, afeito aos estudos, pronto para ingressar na faculdade de Medicina e seguir o mesmo caminho do pai, de repente deixa o cabelo crescer, põe um brinco na orelha – coisa que certamente mataria papai de desgosto –, diz que vai ser publicitário e nos apresenta uma rapariga vulgar como futura esposa. Valha-me Deus!

A transformação foi da noite para o dia. Amanheceu e disse que Medicina era coisa de "nerd". Eu estava sentada à mesa acompanhando a família numa refeição matinal. Não entendendo o termo, perguntei o significado. Foi então que ele grosseiramente, como nunca o havia escutado falar, disse-me em tom de desacato: – Fique quieta, tia!

Eu estava sentada, e sentada fiquei. Imediatamente uma dor nas costas tomou conta de mim. Diagnóstico: água no pulmão. Causa: não saber o significado de uma palavra. Resultado: uma semana de internação e diversos procedimentos dolorosos de punção.

É por isso que insisto mais uma vez: enfermidade nasce é das palavras! Eu experimento na minha carne o tempo todo. A mocinha que é secretária do doutor Carlos comentou comigo: – A senhora é muito sensível, não é? Vira-e-mexe está adoentada! –. Aquela frase parecia uma faca penetrando o meu peito.

Junto das palavras o olhar irônico da ordinária. O olhar abria ainda mais a minha alma para que as palavras viróticas viessem se alojar em mim. Imediatamente uma dor insuportável tomou conta do meu pescoço. Diagnóstico: amigdalite aguda. Causa: comentário infeliz de uma secretária desocupada. Resultado: doze dias de antibiótico acompanhados de repouso absoluto de voz.

Nunca vi uma pessoa ser tão humilhada por causa do nome, como ocorreu com a comadre Edvalda. Pobre e sem condições de pagar um atendimento particular, outro dia eu a acompanhei numa consulta no hospital municipal. A sala de recepção estava cheia. A enfermeira chegou com aquela pranchetinha e anunciou: Edvalda Castorina do Amor Divino. Anunciou e destampou a rir. A atitude desencadeou um riso geral. Parecia que havia sido contada uma piada engraçadíssima.

A pobrezinha abaixou a cabeça, feito uma cabra mansa, e disse humilhada: – Sou eu. Naquele momento eu não me contive. Falei: – O que é? O nome dela é esse. Fazer o que? É defeito se chamar Edvalda Castorina do Amor Divino? Vai inventar, dizer que é Patrícia? –. Quando percebi, já tinha gritado. Foi então que a outra enfermeira gritou comigo uma frase infectada de bactérias: – A senhora podia fazer o favor de respeitar o nosso ambiente de trabalho, querida?

Imediatamente senti as pernas bambearem e as vistas escurecerem. A ofensa maior que aquele grito me provocava estava na última palavra. A bactéria mais nociva estava mesmo era no tom irônico que revestia a palavra “querida”. Diagnóstico: convulsão. Causa: gosto estragado de uma mãe que merece queimar no meio do inferno e o grito de uma enfermeira salafrária que gosta de rir das desgraças dos outros. Resultado: tomografias computadorizadas, exames minuciosos da cabeça, consultas com especialistas em São Paulo, dois dentes quebrados – frutos de uma queda na entrada do laboratório – e caixas e caixas de remédios para diminuir a ansiedade.

O irônico é que a comadre Edvalda não tinha nada, além do nome feio, é claro. Fui levá-la para exercitar a minha alma na caridade e acabei atraindo essa desgraça toda para o meu lado.

Não sei o que faço! Tenho medo de que as palavras me atinjam com seu poder de contaminação. A vida é um fogo cruzado. Nunca se sabe quando seremos vítimas. Já pensei em ficar surda e assim neutralizar a porta por onde entram as doenças. O cuidado seria com a linguagem escrita e gestual, porque até mesmo dessas formas de linguagem eu já me tornei vítima.

Outro dia, passando pela alameda Dr. Carlos Viera, um senhor de meia-idade me pediu um dinheirinho para comprar um pão. Eu disse com sinceridade que não tinha. Estava desprovida de qualquer quantia naquela hora. Foi então que ele me olhou e fez um gesto obsceno com a mão.

Imediatamente senti uma friagem no meio das pernas. Diagnóstico: desconforto na região genital. Causa: sugestão de um desconhecido que parecia perceber minha virgindade preservada. Resultado: noites e noites imaginando aquele homem fazendo comigo o que seu gesto sugeria.

Memórias

Os devaneios da adolescência voltaram. É cíclica a vida, como queriam os gregos. Não posso é permitir que esse emaranhado de desejos pueris se torne visível aos que reconhecem a minha caducidade. Como conciliar o desejo de correr em círculos no coreto da matriz com o fato de ter 86 anos de idade, nove meses e treze dias? Como conciliar esses impulsos adolescentes, essa pretensiosa juventude de minha alma, com essa artrose reumática me paralisando os joelhos?

Os desejos da alma esbarram nas indisposições e vergonhas do corpo. Desejo de levantar as saias, fazer pirraça no meio da sala e chorar até me esgotarem as lágrimas por causa de um algodão doce cor-de-rosa. Desejo de retornar às fraldas, mamadeira, cama quente, enquanto a chuva é carícia no telhado.

Um véu na cabeça e quem sabe eu volte a ser velha de novo. Um terço nas mãos, um ungüento sobre as varizes, e quem sabe o corpo retome as rédeas de sua alma desgovernada!

O amor na penumbra é sempre mais bonito. Realidades veladas guardam sacralidade. O bom do desejo está no tempo em que dura a espera.

Já fiquei eterna. Escrevi meu nome numa goiabeira no terreno baldio do Celeste Vieira e agora é só esperar pelo dia de meu derradeiro suspiro. Eternidade é coisa que me arrepia a espinha. Cheira a incenso, tal qual o corpo de madre Cilene.

Helena não se emenda. Não esperou nem o pai esfriar no caixão e já estava escolhendo vestido para ir ao baile de formatura de Nelson Cordeiro. Se ao menos passasse uma poeira de pó compacto sobre a cara da tristeza, mas não. Fez questão de carregar resquícios de gerânio, cheiro de morte nos cantos das unhas e adentrar o salão dois dias depois de sepultar o seu progenitor. – Excessos pertencem ao mundo do cão! – dizia meu pai. Pintar cabelo em tempo de quaresma é o mesmo que jogar pedra no altar da Virgem Maria. Ofensa, descaso, coisa de gente sem princípio.

Eu quero é o alento de uma noite fria e cobertor vindo de Guaratinguetá. A viagem a Aparecida, o cumprimento do voto; a missa às seis horas da manhã, a vela que tinha o tamanho do corpo; o sofrimento da sala dos milagres e depois o prazer. Atravessar a passarela como se desafiássemos o maior perigo existente no mundo até chegar ao carrinho que vendia o picolé de duas cores. Enorme; ícone que representava para o meu coração o mesmo que a imagenzinha negra representava para o meu pai. Eu só não podia era confessar esse absurdo. Caso contrário levaria um tapa bem dado na boca, e então não mais saborearia a minha devoção.

As ruas eram estreitas, eu me recordo. As lojas minúsculas, muitas, todas iguais. Os terços pendurados, assim como nossas esperanças. Cada conta cumprirá o destino de se tornar representante das dores que carecerão de reza. Uma ave-maria na intenção do Geraldo; uma ave-maria na intenção da comadre Divina; uma ave-maria pelos aflitos. Eu não entendia. Já havíamos rezado o terço. Já tínhamos deixado vazar da boca cinqüenta vezes as nossas aflições nos envólucros das palavras, e mesmo assim ainda havia o que pedir particularizado? Já não incluímos o Geraldo, a comadre Divina, os aflitos? Depois eu me cansei de pensar nisso. Concluí que oração é coisa que não pode ter lógica. Prova disso é o jeito como minha avó dava ordens a Deus com ares de boazinha. Eu achava triste aquele jeito de rezar. Deus era um velho rabugento que não sabia nada das necessidades do mundo. Minha avó é que possuía o pleno conhecimento de todas as mazelas humanas. A Ele, o Supremo Criador de todas as realidades, restava-Lhe obedecer. Cheguei à conclusão de que quem manda no céu são as beatas.

Heriovaldo era o homem da palavra. Trabalhava como radialista. Tocava modas pecaminosas e depois, quando o relógio apontava 6 horas da tarde fazia uma voz de beato, como se o espírito de um velho pastor baixasse nele. – Safado! – eu pensava. Fazia umas orações esquisitas. Chamava Deus de "papai do céu", e nisso estava o meu aborrecimento maior. Como é que um homem daquela idade, velho como um bode, safado e mulherengo, ousava usar a linguagem dos inocentes? – Tenha dó! – eu gritava, e desligava o rádio. O engraçado é que eu sempre sintonizava o seu programa só para provar a raiva daquele instante. Eu precisava daquela provocação no meu dia. Era sagrado. Faltando uns quinze minutos para as seis, lá ia eu sintonizar a estação do cafajeste. Antes, a moda cheia de expressões chulas, as falas malcriadas de ouvintes que mandavam recados, e depois, a voz com o tom de quem pretendia nos conduzir ao céu.

A contradição está por todo lado. No andor da santa, no tremor das mãos. É sina, herança adâmica, espinho na carne. O picolé de Aparecida era cor de creme e cor-de-rosa. O fascínio estava no contraste. A imagem da Virgem também. Uma escrava vestida de rainha. O povo reverencia o conflito. Mas a imagem resolve ou estabelece o conflito? Depende. Há quem enxergue a escrava, e só. Há quem só tenha olhos para o manto garboso. Depende de onde estudou, do livro que leu, da catequese que fez.

Eu sempre tive pavor de catequese. Sábado, uma e meia da tarde. Pode uma coisa dessas? Há algum ser vivo que nesse momento do dia tenha disposição de escutar madre Cilene falando sobre as maravilhas das realidades beatíficas?

Céu e digestão não combinam. O bom mesmo é uma cama com lençóis tinindo de tão brancos e uns quatro travesseiros macios. A catequese era a contradição. O discurso sobre o céu em um lugar e horário que antecipavam o inferno. Valha-me Deus!

Ainda hoje, mesmo tendo vivido quase um século, continuo com medo do nome Isaura. É ouvir o bendito e já tenho vontade de me enfiar debaixo da cama. O nome me reporta aos medos da infância. Medos que se escondem na alma e que teimam em enganá-la a vida inteira. A alma, por ser imortal, não sabe do tempo que passou. Pobrezinha! A alma não envelhece, e por isso ainda tem medo de Isaura. A alma, infante, bonitinha, vestidinho de renda, rodado, inocente, brinca de roda, joga pião, pula amarelinha e não está nem aí para os desgastes dos meus joelhos. Passo um aperto danado com ela. O corpo já não quer as mesmas aventuras, mas a alma ainda é menina e não sabe que já não sou mais. Acorda, grita no meio da noite, liga a televisão, chora querendo pracinhas, coretos, banda de música; e eu grito: – Cala boca, menina, vai dormir! –. É o mesmo que nada. Depois ela se ocupa com algum detalhe de lembrança e dorme serena. Eu me divido, sim. E não me importo quando me dizem que estou atentando contra a unidade do ser humano. Isso é bonito na teoria, porque na prática eu sou mesmo uma esquartejada. Já quis ser inteira, mas é inegável que sou em partes.

O que sei de mim não se aplica ao que o mundo sabe de si mesmo, mas não me conflituo. Basta o que, por força de ser o que é, já me incomoda. Um bom retalho de pano, e o mundo vai inteirinho pra minha máquina de costura. Nela eu o conserto. Aperto, prego, desprego, solto bainha, coloco gola; faço o que quero. Minha imaginação me permite tudo. Coisas da alma; atributo que agradeço todos os dias com uma jaculatória muito simples. Eu ainda quero muita coisa nessa vida, mas o que quero mesmo é o picolé de Aparecida e um cobertor de Guaratinguetá. O resto procuro por aqui mesmo; eu ajeito aos poucos.

Meu mundo é pequeno, mas me cabe. Uma lixa de unhas e por hora e meia do meu dia já terei ocupação. O corpo reage. É lixar e elas crescem de novo. Uma gracinha, de tão disciplinadas! Não há ingratidão nessas criaturas. Não posso dizer o mesmo de mim. Estou me lixando para Liolinda. Um dia ela me podou e eu não cresci mais pro lado dela. Não sou igual às minhas unhas. Sou perversa, vingativa, maldosa. Demoro pra crescer. A razão nem foi muito grande, mas eu gosto de guardar uma magoazinha no coração. Tenho medo de me transformar numa mulher feliz. Acho tão triste ser feliz. Sorrir à toa, ter soluções para os problemas educacionais do país, ser otimista, dar entrevista na televisão, discutir temas pertinentes. Tenho antipatia de gente assim. Eu quero é a tristeza, o sabugo do milho com o caldinho salgado, a sensação de que o milho acabou, mas o sabugo retém algo ainda melhor. Tenho horror à reciclagem de lixo. Acho um enjoamento aquelas latas e suas inscrições indicativas: plástico, papel, metal. Quero é o picolé de duas cores pingando na minha blusa branca, minha mãe reclamando pra eu andar depressa, e eu fingindo ser surda, de tão devota.

Nunca tolerei essa história de que deficiente tem de ser tratado como bobo. Outro dia colocaram uma menina cega pra cantar no encerramento da Semana da Pátria. Nunca vi nada mais feio na minha vida. A menina não acertava uma nota. Olhei pro lado e Laurinda se derramava de tanto chorar. Eu disse que iria embora porque não estava agüentando aquela gritaria, e ela imediatamente me repreendeu com severidade: – A menina é cega, Clotilde! – E eu com isso? – gritei ainda mais forte. – Só porque é cega tenho de achar bonitinho essa coisa horrorosa? Todo cego agora tem o direito de cantar, e ainda que seja desafinado a gente precisa dizer que está bonito? Ah, tenha santa paciência, Laurinda! – Quando vi, já tinha gritado. Mas não me arrependo. Deficiente não tem de ser paparicado. Eles não querem paparico, querem é respeito. O meu ouvido também. Quer cantar? Que aprenda! O fato de ser cego não diminui o caminho do aprendizado pra ninguém. O tenor cego não ficou famoso porque é cego. Ficou famoso porque canta bonito. Ninguém compra o seu disco porque tem pena dele. Compra porque gosta. Pronto, falei!

A minha franqueza tem assustado muita gente. Outro dia deparei com a Leninha no mercado do Alvino. Quando dei por mim já tinha perguntado quem foi que tinha estragado o cabelo dela. Agressiva, mas mantendo o espírito de dama, virou-se e disse bem baixinho: – Foi a sua mãe, sua égua! –. Continuei escolhendo os tomates e não falei mais nada. Atrevida. Quer ofender a mim que ofenda, mas retirar minha mãe da sepultura só para não ter de assumir que o cabelo está parecendo uma caixa de marimbondo? Ah não, aí já é demais.

Tenho percebido que minhas dores nas costas estão se tornando mais agudas. A culpa é da minha alma que me põe pra pular corda escondida no quarto. Qualquer dia desses eu infarto, bato as botas, e aí eu quero ver. Alma desossada deve ser coisa sem graça que só. Quem é que vai levá-la pra passear nos domingos à tarde, quando terminada a missa, prazeres da alma, e só restarem os prazeres da praça, coisas da carne?

Não sei e não quero saber. Não sou teóloga e nem quero ser. Se hoje pudesse escolher um dengo, um único dengo, eu escolheria um picolé de duas cores, uma blusa branca pra deixar pingar o que dele caísse e uma mãe bem brava pra me xingar até eu chorar de tanta tristeza. Ai, como eu queria!

Eulália

A roupa continuava estendida sobre a cama. Um frêmito de palavras inconclusas ainda sobrepunha-se ao instante daquela hora.

Um molho de chaves sobre a cômoda de imbuia sacramentava um esquecimento derradeiro. Esquecer as chaves era quase uma condenação para Eulália.

Eu quis correr para anunciar o esquecimento antes que dobrasse a esquina, botar a cabeça na janela, correr afoita com as palavras no céu da boca, ensaiando o grito, mas uma recordação me deteve o passo: Eulália está morta.

Já não há razões para chaves, já não há mão para estender em direção à fechadura. Já não há corpo que a esquina possa esconder, nem há sorriso que possa demonstrar o desapontamento pelo esquecimento.

A roupa estendida sobre a cama, o perfume sobre a penteadeira, a tampa do frasco sem a última volta, entreaberta.

Tudo denunciava um desespero silencioso, pronto para virar palavra, blasfêmia, indignação, pedido de retorno.

À sombra do medo eu esperava que a vida se apressasse indulgente. Queria o futuro, o desconcerto amanhecido, a desestrutura da grafia demonstrada em bilhetes matinais. Queria o sol, a janela aberta a permitir que a luz se esparramasse sobre a cama vazia, sem a roupa estendida, já doada, longe, surrada de tanto ser usada, quase prestes a ser jogada fora, cansada do corpo, já sem nenhuma memória da pele de Eulália.

Uma notícia de morte desacelera o tempo, estaciona as horas, congela o calendário. Dura que só!

Eulália bem que poderia ter evitado aquela saída. Ficasse quieta no sofá da sala fazendo suas mantas de tricô e aquele caminhão não a teria surpreendido desatenta, sem chaves, no cruzamento da Alameda Sanches com a Avenida Ipiranga.

A morte esbarrou em Eulália justamente no momento em que ela esperava pela cura de nossa irmã Sofia. Esperando há mais de três anos um transplante de coração, Sofia, a sempre doente Sofia, a irmã debilitada, constantemente abatida, sofrida, vítima de um insuperável problema congênito, que pouco a pouco foi deixando frágil seu coração, agora teria de chorar a morte de Eulália.

Quem diria! Eulália, que temia tanto a morte de nossa irmã caçula. Ela que sempre gozara de excelente saúde; que passava pelos invernos ilesa; livre de tosses, gripes, resfriados; de repente ali, estendida num cruzamento, sem vida, sem as chaves, sem sorriso desconcertado.

Ela, que tantas vezes declarara com embargo na voz: – Dessa vez Sofia não escapa! –, não escapou à distração no cruzamento. Coração em perfeito estado, rugas em andamento lento, pernas carregadas de destreza, mãos hábeis, mente talentosa, criativa, chaves esquecidas, tudo estava morto, finalizado, abruptamente interrompido.

Não há gesto possível, iniciativa a ser tomada, relógio para acertar, palavra a ser dita. Tudo é Eulália e tudo está morto!

Não tenho nada na solidão deste tempo. Só o vento parece insistir em empurrar o cheiro da tarde para dentro do quarto.

Em breve será noite. Noite sem volta, sem o sorriso de Eulália, sem barulho de chuveiro em demorado banho de meia hora. E depois, os cabelos molhados, o cheiro doce de mulher feliz, o creme que retarda o tempo ritualmente aplicado em movimentos ascendentes, e a toalha cuidadosamente estendida.

E depois da noite, o dia, a solidão do bule, a frieza do fogão sem lenhas, o café não coado, o amor fraterno não declarado, o silêncio dos móveis. Vida que se desprende aos poucos, feito barco que não tem destino, lugar escuro onde se alojam os medos, armários empoeirados, pratos e talheres sem as bocas que lhes dão significado.

Já não há a possibilidade de uma confissão amorosa. Palavras que confidenciem as ansiedades do dia, a partilha de dois corações preservados do amor carnal, irmãs na cumplicidade absoluta; vida dividida desde o útero, quando nossa mãe nos gerou ao mesmo tempo. As recordações da mais tenra infância, os medos segredados desde que ficamos órfãs, aos 6 anos de idade.

Já não há a possibilidade de ajudar os retoques finais do banho. As mãos cuidadosamente colocadas sobre os cabelos, enquanto eu fazia a pergunta de todo fim de tarde: – Como foi seu dia, minha irmã?

Eulália me fez ser o que sou. Extraiu de mim o que eu não sabia possuir. Colocou nos meus olhos um jeito diferente de enxergar o mundo, de compreender as esperanças e de tecer perspectivas. Ela me fez descobrir o quanto um molho de chaves esquecido sobre a cômoda pode nos recordar o amor que amamos.

Eulália era uma mulher de perdão diário. Não sabia dormir sobre a mágoa. E ensinou-me o mesmo! Ela me perdoou a vida inteira.

É por essa razão que não posso não perdoá-la por esse descuido no cruzamento que lhe retirou a vida. Mas esse não é o meu desejo. Eulália está morta e minha vontade é de acusá-la até perder a voz. É como se o meu amor virasse ódio, por um instante. Ódio de vê-la partir. Braços dados com a morte, abandonando-me, deixando-me na solidão absoluta, sem me levar junto. Traição doída, difícil de ser assimilada.

Eulália não poderia ter feito isso comigo. Quem ama não tem o direito de atravessar a rua com displicência, mas tem de ter um cuidado especial ao fazê-lo. Quem tem amor para cuidar não tem o direito de exagerar na velocidade, de expor a vida ao risco, de avançar o sinal fechado, de descer em montanhas-russas, de comer comidas duvidosas.

Olho para esta casa e não sei começar nada. Preciso preparar a sala onde o corpo de Eulália será velado, mas não tenho forças para retirar nem mesmo uma cadeira do lugar.

Se pudesse, dispensaria os rituais do sepultamento. Eu me privaria de encontrar Eulália sem o sorriso de sempre. Para que voltar este corpo? Para que encher a casa de flores e dar-lhes esse significado tão absurdo, grotesco?

O corpo, se é pra não voltar vivo, sem chaves, necessitando de banho, que não venha!

Prefiro assim. Não quero flores nesta casa, não quero esquife, não quero novenas, nem quero o consolo de Sofia.

O corpo, este pode partir. Eu já tenho reservas de Eulália em mim.

A louca

Gosto só das coisas que não entendo. Fico maravilhada quando escuto uma ópera, mesmo apresentada numa língua estrangeira que eu desconheça. Fico imaginando qual é a tradução daquela expressão tão dolorosa, daquele momento tão intenso, e isso prolonga o meu gozo. Não sei e não quero saber a razão daquela dor. Quero apenas a sua expressão, o entendimento eu dispenso.

Minha filha fica escandalizada comigo. Outro dia me perguntou: – O que essa mulher está cantando? –. Eu prontamente disse: – Não sei. – Então, por que a senhora está chorando desse jeito? – Também não sei – respondi.

Foi então que me levantei para tentar convencê-la. – Minha filha, o fascínio nasce é do não poder entender. A paixão, o encanto é a ausência de palavras, é a vida revestida de silêncio e transbordando de insinuações. O amor sobrevive é no mistério, no desvelamento cotidiano que nunca chega à plenitude, porque tudo o que já está pleno, já está pronto. O amor só é amor porque é inacabado; é metade que clama, implora e pede clemência. Amar é uma interessante e bonita forma de carecer, de ser fraco, de entregar os pontos, de viver sem armas, como se por um instante, só por um instante, a luta que marca a nossa sobrevivência tivesse entrado em estado de trégua.

O encanto que sobrevive no amor só pode durar enquanto se estenderem os segredos que sacralizam a relação. É sacral, exige reverência. E por isso é necessário retirar as sandálias dos pés, pisar com leveza, olhar com cuidado. O amor é amigo do silêncio. Sobrevive no querer dizer, na tentativa frustrada de verbalizar o que é a crença da alma, o sustento do espírito.

A saudade é benéfica ao amor. Distantes, os amantes mensuram o tamanho do bem-querer. Medida que se descobre nos desconcertos da ausência, no engasgo constante da recordação, recurso que faz voltar no tempo, engana as horas, aproxima as peles, diminui as estradas, ancora os navios, pousa os aviões, faz chegar os ausentes.

O choro dessa mulher é metade que se acomoda em meus ouvidos. Eu não entendo uma só palavra do que ela canta, mas o seu sofrimento não é conceitual, não passa pela linguagem comum. Compreendo-o sem palavras, sem explicações, e talvez seja essa a razão do meu choro! – concluí, cheia de intenção na voz como se estivesse no palco, interpretando um personagem de Shakespeare.

Ela me olhou e secamente sentenciou: – A senhora é louca!

Fiquei pensando naquela acusação. Como deve ser boa a loucura. Ver o mundo ao contrário, sondar e transitar pela existência sempre na contramão. Se o mundo vai à direita, eu vou à esquerda. E tudo isso sem ter de explicar. Eles diriam: – Ela é louca! – Pronto. Tudo está justificado. Esse diagnóstico me libertaria das vergonhas que passo. Ele me descansaria das explicações constantes que devo dar.

Outro dia eu estava visitando um pequeno museu no interior de Minas, quando de repente me detive diante de uma pintura que retratava uma pequena menina levando uma criança ao colo. Uma criança levando outra. Comecei a chorar compulsivamente. O choro foi ganhando ares de desespero. Comecei a gritar de tanta dor. Olhava a tela e chorava com as mãos depositadas sobre a boca.

As pessoas começaram a me olhar desconfiadas, e, em pouco tempo, já me serviam água com açúcar, café quente, chá de cidreira e outros recursos que elas certamente julgavam eficazes para estancar choro.

Perguntavam preocupados se havia acontecido alguma coisa, mas eu não conseguia dizer absolutamente nada. Não queria despregar os olhos daquela cena. Queria chorar tudo o que ela me sugeria. Queria recolher aquelas crianças, preparar-lhes uma cama, um agasalho. Queria preparar-lhes uma sopa, uma mamadeira com leite quente. Queria restituir-lhes a infância negada, o amor, a inocência. Queria parir de novo aquelas duas criaturas. Ah, como eu queria!

O que eu não queria era ouvir o guarda educadamente me oferecendo uma cadeira. Eu não queria consolo, não queria perguntas. Eu queria o desespero daquela hora. Queria aquela inadequação me rompendo as entranhas, levando aquelas crianças para dentro de mim.

Olhava para os que me circundavam e não dizia nada. Só chorava. Mas não saberia dizer por que estava chorando. O meu choro não tinha razões conhecidas. Aquela menina e aquela criança reviraram alguma coisa dentro de mim. Causaram desordem, retiraram a vida do lugar. Quebraram a ordem natural das coisas, o cotidiano, e naquele momento eu não quis entender a desordem. Bastou-me acreditar que ela estava estabelecida dentro de mim.

Crer é um jeito interessante de dispensar explicações. É o momento da vida em que nos permitimos a loucura. É o momento no qual declaramos a nós mesmos: eu não sei entender, só sei acreditar! E toda crença é uma forma de loucura. O louco crê no que vê, ainda que a realidade vista não seja palpável, mensurável. Os loucos crêem mais do que entendem. Eles não duvidam.

Só os loucos podem chorar quando querem. Choram e riem sem a necessidade de explicar os motivos, porque a loucura dispensa os motivos; e isso é uma riqueza insondável. O riso pelo riso, o choro pelo choro, a vida pela vida.

A sanidade é uma prisão. Para tudo há que se buscar uma coerência, um argumento, uma premissa esclarecedora. Minha filha é sana. Não sabe ver nada além. Sobrevive das aparências. Só vê o que está à mostra. Vive dissecando a vida como se fosse um cadáver. Revira as peças, descobre as funções, identifica as fragilidades do funcionamento, e só. Quase não chora, e se chora, é porque já mediu todas as razões pelas quais vai chorar. Eu não. Eu choro mesmo sem razões.

Outro dia chorei na hora de comprar um tecido para um vestido de formatura. O azul era tão azul que mereceu um choro. Contido, mas um choro. Olhei a textura, a cor intensa e não pensei duas vezes. A vendedora olhou sem entender. Não me deixei intimidar. Abracei aquele tecido e agradeci a Deus pela oportunidade de tê-lo diante de mim. O abraço parecia azular a minha alma. Sentia que ele dividia a sua beleza comigo. A experiência durou só dez minutos, mas valeu pela vida inteira.

Os loucos não entendem de tempo. Não possuem relógios nos pulsos nem agendas nas bolsas. A vida é a necessidade de cada instante. Um lugar ao sol, um canto para se esconder da chuva, um travesseiro improvisado e a vida já fica cheia de sentido.

O sorriso diante da morte, a leitura de uma frase inexistente. O riso sem pressa, a dor sem agonia. Eu quero a loucura. Minha filha, a sanidade. Rabisquei meu quarto com versos de poetas consagrados. Por onde vou eles me acompanham. São loucos como eu. Só que possuem palavras, e eu não. Minha filha pendura contas a serem pagas na geladeira. Para não esquecer. Eu prefiro o esquecimento.

Outro dia cortaram a luz da minha casa. Apertei o interruptor, e nada. Comecei a rir. Fui rindo, rindo, rindo até perder as forças nas pernas. Achei engraçado o esquecimento, o desaforo, a inadimplência. Como é bom esquecer, perder a reputação, ter as contas atrasadas.

Minha filha quis morrer de vergonha. Eu quis viver, de tanta graça que achei da vergonha. Humilhada e feliz ao mesmo tempo. – Cortaram a minha luz! – exclamava e ria. Uma noite inteira em escuridão plena. A geladeira calada, sem ruídos. A televisão muda, sem galãs, sem tramas iluminadas pela ilusão. O microondas sem funções, sem relógio piscando e o chuveiro frio. A vida na pausa, na loucura que a escuridão propõe.

– A senhora precisa ficar atenta aos vencimentos! – repreendeu-me minha filha, como se agora fosse minha mãe. – Vive nas nuvens! – completou o sermão. Eu fiquei calada. Olhei com ternura a sua bolsa sobre o sofá e pensei que ela deveria ser triste por pertencer à minha filha. Pobre bolsa! Tão usada e sem carinho! Fosse minha e teria um bercinho bem confortável para dormir tranqüila. Tive vontade de pegar a bolsa no colo, curar-lhe a solidão e garantir-lhe uma velhice feliz. Não seria trocada por outra, apenas sairia do mundo da utilidade para entrar no mundo dos significados. Os loucos desprezam a utilidade. Preferem os significados. Por isso guardam tantas quinquilharias. Os sãos preferem a caixa de ferramentas. Os loucos, a caixa de brinquedos.

Pensei em comentar isso com minha filha, mas achei que ela não entenderia minha preocupação. Ela é sana demais para absorver a minha inquietação a respeito da sensibilidade que possa haver naquela pobre bolsa. Qualquer dia desses eu a roubo e a trago para morar comigo. Vou dar um nome a ela. Cibele, quem sabe!

Só os loucos dão nome às coisas. Já tive um sofá que se chamava Olegário. Também já tive um bule que atendia pelo nome de Rodolfo. Era um bule de personalidade forte. Valquíria era uma chaleira que ganhei de minha finada mãe. Chegou sem nome e eu a batizei assim. Valquíria e Rodolfo eram amigos. Ficavam juntos no mesmo armário. Eu facilitava as coisas. Não os separava nunca porque achava bonita aquela amizade. Geralda, uma frigideira com aspecto de autoritária, parecia sentir ciúme da relação deles. Nunca dei ouvidos aos seus comentários maldosos. Ela que se enrabichasse com Benevides, o escorredor de pratos, que parecia insinuar-se constantemente para ela.

Eu me recordo que minha avó tinha uma lamparina a que eu imaginava se chamar Elizete. Não sei por que, mas este era o nome que combinava com ela. Elizete era tristonha. Esmaltada e com pequenos sinais de queda, prestava-se a clarear a sala principal da fazenda, onde toda a família contava histórias mentirosas. O coração de Elizete era um pavio movido a querosene. Pobre Elizete! Sempre silenciosa, mas atenta. Quanto sofrimento deveria existir naquela criatura! Elizete sofria de enfisema pulmonar, mas nunca deixou de trabalhar por causa disso. Às vezes eu olhava o cansaço de sua chama e sentia o desejo de colocá-la para dormir mais cedo, mas vovô Juvêncio jamais entenderia o meu gesto. Elizete ficou conosco até o dia em que se mudou para Goiânia, acompanhando a mudança de Isidora, minha tia mais velha. Nunca mais tive notícia da bichinha. Mas a vida é assim mesmo. O sofrimento está por toda parte. Os loucos sofrem menos. Eu acho. Mas o que acho é quase nada perto do que o mundo sabe. Eu prefiro não saber. Achar é um jeito interessante de descansar.

Preciso descobrir um jeito de curar essa dor nas costas. Acho que não tem jeito. A loucura do mundo pesa constantemente sobre mim. E eu gosto.

De esperança e de amor

Supliquei, pedi, implorei. Conjuguei todos os verbos que indicam solicitação de um sujeito humilhado. Adjetivei minha conduta, tentei demonstrar minhas retas intenções, mas nada derrubou o olhar arrogante e decidido de Horácio.

Desenterrei o passado. Demonstrei matematicamente as inúmeras vezes em que precisei subtrair o meu orgulho. Retirei do esquecimento suas ocasionais condutas desonestas; os pequenos descuidos morais que os meus olhos notavam, mas desconsideravam. Coisas que fiz para que prevalecesse a harmonia na relação, o prosseguimento de uma vida feliz, ou pelo menos suportável.

Nada adiantou. Parado na porta da sala, ouviu meu desabafo e limitou-se a perguntar: – Acabou? –. E sem nenhuma outra palavra fechou a porta e se foi.

Fiquei observando a porta durante exatos quarenta minutos. Creditei minhas esperanças na possibilidade de um momentâneo arrependimento, ou até mesmo um breve retorno, motivado pelo esquecimento de uma ou outra peça de roupa.

Esquecer é um verbo tão provável na vida humana. Mas não foi para Horácio, naquele momento.

Mantive meus olhos no verde-musgo da porta. Ative minha atenção na esperança que aquela cor sugeria.

Propus a mim mesma um jantar à luz de velas, um vinho de boa safra, um prato dos nossos sabores preferidos. Horácio, sentado à minha frente, chorando ao ouvir o meu pedido de perdão, tudo tal qual a cena final de um filme feliz, desses que quando termina a gente tem vontade de abraçar o primeiro homem que cruza o caminho da gente e jurar-lhe, entre beijos, amor eterno.

O filme de minha vida. A cena está distante do meu desejo. O roteiro é outro. A mesa não está posta, não há choro de Horácio, nem tampouco algum sabor agradável está preparado, pronto para ser servido.

O tremor de minhas mãos não passa. A vida anda lenta por aqui. Há tanto medo hospedado na minha alma que já não vejo espaço para outras realidades. Já pensei em despejo, mas tenho medo de perder o rumo. Por vezes, penso que sem os medos eu não serei muita coisa. Tenho medo de ser só. Mas não tenho outro recurso. Não há filhos, não há amantes. O que há é a presença de um visitante oculto cujo nome desconheço. Não é gente, não é anjo, não é bicho.

Chega na solidão da noite, afaga meus cabelos, ocupa-se do travesseiro de Horácio – esperança que ainda cultivo – e me conta histórias de outros mundos. Ele fala de amores impossíveis, guerras homéricas e milagres inacreditáveis. Tem voz de profeta e um cheiro que lembra altares, holocaustos, sacrifícios sagrados. Vez ou outra me traz um agrado. O último foi um óleo perfumado acondicionado numa embalagem de porcelana persa. Alertou-me para a alegria que o perfume poderia provocar. Olhei com descaso.

Alegrias são acontecimentos raros. Caros também. O casaco que desejo custa o dobro do que recebo da pensão deixada por Horácio. Caro mesmo é o ressentimento que guardo daquela data. Queria apenas o direito de contar a verdade, demonstrar minha inocência, mas Horácio não soube ouvir. Ficou só com a versão que quis.

Desabafei isso ao visitante oculto. Falei também das felicidades que insisto em procurar nas gavetas da cômoda. Pés de meia, gravatas esquecidas, um relógio de bolso. Coisas que pertencem a outras datas, acontecimentos distantes, ancorados nas reservas que pertencem à minha memória. Ele riu. Disse que era absurdo não enterrar cadáveres. Argumentou que adiar o sepultamento é uma forma de prolongar o sofrimento.

Eu disse que sabia de tudo isso, mas que não bastava saber. Contei-lhe um segredo que até então guardava só pra mim. Na noite em que Horácio interpretou mal a minha fala ao garçom, eu realmente havia notado uma beleza diferente no moço. Foi apenas um arrepio na coluna, coisa pouca diante de tudo o que Horácio me provocava. O sorriso do rapaz era quase uma invasão de privacidade. À entrada da porta principal, ele recebia os que chegavam. Eu cheguei e Horácio também. Seus olhos não encontraram Horácio. Só a mim. Horácio percebeu e comentou comigo o acontecido por meio de uma pergunta: – Conhece esse rapaz? – Não! –. Minha única palavra.

A vida é quase um castigo, não fosse a eterna esperança. Eu vivo esperando. Olho para a porta verde-musgo e sorvo o desatino da dor. Mas a dor está costurada na espera. Meu visitante discorda. Ele não deve entender nada dos meus desatinos. Eu só o tolero porque eu não tenho mais ninguém nessa vida.

Andei necessitando de uma revisão médica. Doutor Bernardo acompanhou os exames. Após prolongados dias de coletas de sangue e outros excrementos, deu-me a sentença final. – Nada que mereça preocupações, pois a senhora está com a saúde em perfeita ordem!

Concluí que estou pronta para o amor, a maternidade, as extravagâncias. Ocorreu-me o desejo de litros inteiros de cachaça, rodadas de carta, noitadas, música alta e garçons com olhares libidinosos servindo-me uma bebida proibida. Ocorreu-me o desejo de lençóis desconhecidos, outros cheiros, locais impróprios, sorrisos maldosos, cochichos no ouvido. O carro parado à porta, o vestido vermelho, o salto alto, a maquiagem expressiva, os olhos contornados de vida. A buzina impaciente, o braço pra fora do carro, os pêlos à mostra, o relógio dourado, quase vulgar. O vinho à espera em algum lugar, a frase obscena, a língua no ouvido.

Foi então que me percebi mentirosa. Eu queria mesmo era uma cama quente, pijamas de flanela e esbarros noturnos de Horácio. A tosse alta, o ronco descompassado, o incômodo do cobertor enrolado aos pés da cama. O chá no criado-mudo, a fumaça subindo cúmplice, os óculos acomodados próximos ao abajur, o copo de água, a cartela de comprimidos. A velhice, a preocupação com os filhos, a confidência de segredos familiares.

Queria a pele vincada de Horácio e a sua dor nas costas. O sorriso amarelo provocado pelo fumo, a constante insistência de que o cigarro está prejudicando sua saúde, o nervosismo, a desconfiança. Queria seu descaso esporádico e o seu desejo quando menos imaginado, quando tudo parece dormir, menos a libido de homem que desperta no meio da noite e recorda-se que tem esposa dormindo ao lado.

A vida na mais requintada rotina. As compotas de doce preparadas em dias de chuva, os bordados depois do almoço, o cheiro de casa limpa. Em dias de sábado, a quitanda preparada e enlatada com cuidado. Os filhos ao redor da mesa, querendo comer antes da hora, e a fala alterada de Horácio, disciplinadora, pedindo que eles me dessem sossego.

A minha aflição em dias de domingo. As visitas que chegariam para o almoço. O fogão à lenha sem estoque de lenha seca. A providência de Horácio. O macarrão escorrendo na pia, a felicidade escorrendo dos olhos. O amor provocando sorrisos e os olhares se cruzando na pressa.

A toalha de mesa, a opinião de Horácio. Os copos de ocasião, a satisfação de toda hora. O cansaço do corpo, o lenitivo da alma. A vida em frações, valendo pela vida inteira. A gente se esbarrando na cozinha e a eternidade se esbarrando em nós. A vida, aos poucos, ficando eterna.

Infelicidade a minha em ter tido aquela conversa com o garçom. A conta já estava paga e Horácio fora ao banheiro. Eu esperava encostada na pilastra da entrada. Já havia acertado que o jantar de aniversário de Horácio seria fornecido por aquele estabelecimento. Seria uma surpresa que eu faria para ele. Eu estava combinando rapidamente o que seria o cardápio. O garçom do sorriso bonito estava dando sugestões. Foi então que eu lhe propus ser melhor combinarmos depois. Ele disse que o restaurante oferecia uma visita domiciliar com degustação dos pratos principais. Aí eu disse: – Melhor assim, apareça lá em casa, mas vá num horário em que meu marido não esteja! –. A intenção era fazer surpresa.

Horácio só ouviu a última frase. Ao chegar em casa, limitou-se a dizer que não faria papel de palhaço. Depois, arrumou suas coisas e se foi. E com ele a minha alegria.

Dele restaram poucas coisas. Além das peças propositalmente deixadas nas gavetas da cômoda, duas trocas de roupa ficaram esquecidas no meu guarda-roupa. De vez em quando eu danço abraçada a um paletó. Cumpro um ritual que parece preencher as ausências. Há tantas saudades naquele tecido!

Meu visitante oculto diz que é coisa de louco. Eu sei, e não me importo. Quero a loucura da saudade. Quero o descontentamento que me faz grunhir no silêncio das madrugadas, quando o cheiro de dama-da-noite quase me sufoca no quarto. A janela fechada não me protege da vida. Não me importo. Há mais perigos dentro do que fora de mim.

Outro dia me pus a pensar que sou semelhante às mulheres da literatura de Érico Veríssimo, as mesmas que enquanto os homens se ocupavam da guerra, elas se ocupavam do tempo e do vento. Eu não tenho muitas definições a meu respeito; apenas respeito a dor de cada hora, a esperança de cada momento. E se isso me define, então sou a dor que sabe esperar.

Vez ou outra ponho a cara na janela para ver se tem alguém se aproximando da minha porta. Enquanto houver vida, as possibilidades existirão. Cada um se ocupa do que pode. Eu ainda me ocupo das mesmas esperanças que as mulheres de Atenas.

Solidariedade

Estava sentada num banco de espera quando ouvi o aviso no serviço de som da Rodoviária: - Luciene Aparecida da Silva, favor comparecer à Administração! -. Senti imediatamente um frio na espinha. - Quem será essa Luciene, meu Deus! - pensei desconsolada. Uma preocupação sem precedentes ocorreu-me. O copo de suco encostado no joelho esquerdo num balanço descompassado testemunhava o meu envolvimento com o recado que fora dado publicamente.

Seria a morte de algum familiar? Comecei a imaginar. A mãe doente, pedindo para que Luciene não viajasse, e Luciene, teimosa, apressando a arrumação das malas, e ainda marcando um horário no salão da Neide uma hora e quarenta minutos antes de sair de casa para pegar o ônibus. Luciene não deveria ter agido assim. Obedecesse ao pedido da mãe moribunda e nos pouparia desse sofrimento coletivo.

Fiquei repetindo o seu nome: – Luciene, Luciene. – Nome triste, meu Deus! Não, triste não, frágil. Se fosse Luciana, eu então ficaria mais tranqüila, mas Luciene parece requerer cuidados. Sugere infância doída, asma, noites em claro, choro que não cessa; tosse seca, cabelo minguado, mancha no pulmão, ferida na cabeça, micose nas unhas. – Ai, meu Pai, onde será que anda essa tal de Luciene! Será que está sozinha, comendo um pastel de carne? – Vai ver não teve tempo de almoçar em casa! Minha compaixão aumentou ainda mais. Comer um pastel na rodoviária é tão humilhante! Eu a imaginei encostada no balcão, humildezinha, lábios molhados de óleo, olhos tristes de quem sabe que um pastel é tão pouco para a fome, mas conformados. Cabelinho ralo, loiro, vestidinho de uma simplicidade quase miserável. Uma bolsa visivelmente emprestada, coisa de vizinha metida a ser altruísta, que diante da necessidade de Luciene já se prontificou gritando para que outros ouvissem e conhecessem a sua generosidade. – Pode pegar minha mala! Só vou precisar dela quando eu for pra Guarapari, no final do ano! – Luciene aceitou. Pobrezinha! Não tinha como não aceitar.

O conteúdo da mala era de uma miséria desconcertante. Umas poucas mudas de roupa, um sapatinho de verniz fora de moda e uns três ou quatro passadores de cabelo, sua única vaidade.

Luciene não sabia que eu sabia, mas ela era pobre demais. Trabalhou dobrado a fim de ter algum pouco dinheiro para ir passar o fim de semana prolongado na casa da prima no interior. O dinheiro do ônibus e nada mais. O trocado do pastel foi uma ousadia pecaminosa, minutos antes de sair de casa. Um dinheiro em cima da geladeira, certamente reservado para uns duzentos gramas de carne moída para misturar no macarrão e Luciene não resistiu à tentação, para não sair tão miserável. Luciene deveria estar se sentindo uma ladra. Pobrezinha!

Mais uma vez o recado. A voz que anunciava já estava revestida de certa gravidade. Parecia dizer nas entrelinhas: – Luciene, minha filha, sua mãe está morta, termina de comer esse pastel, infeliz. Aparece logo! – O meu sobressalto foi ainda maior. Será que Luciene passou mal ao ouvir o primeiro recado? Agachada no banheiro público poderia estar vomitando o pastel recém-comido. Ai que tristeza, meu Deus! Tive o ímpeto de ir procurar por Luciene. Gritar a ponto de perder a voz e confessar-lhe que gostaria de chorar com ela a morte de sua mãe. Queria amparar sua dor, contar-lhe que também sou órfã, e que não há nada mais triste neste mundo que perder a mãe. Faltou coragem. Limitei-me a observar atentamente o movimento das pessoas que circulavam nas proximidades de onde eu estava sentada. Coloquei minha atenção nas mocinhas. Luciene deveria ser jovenzinha. Não acredito que uma velha possa ter o nome de Luciene. Nome de velha é Conceição, Isaura, Benedita, Heliofonsa. Luciene sugere puerilidade, inocência, roda-gigante, boneca de pano, diários confidentes de adolescência.

Eu olhava com atenção. Ninguém parecia ser a tal procurada. – Ai meu Deus, que aflição! – Aos poucos, meus batimentos cardíacos me provocaram a sensação de sufocamento. Era como se eu tivesse uma corda me paralisando a respiração. Foi então que pensei no quanto o herói da inconfidência mineira deve ter sofrido para morrer.

Minha preocupação ficou ainda maior quando pensei noutra possibilidade. E se Luciene fosse surda? Como iria ouvir o recado no sistema de som? Meu Deus, que tragédia! A mãe morta e ela, pobrezinha, comendo um pastel de carne sem saber da tristeza que a aguardava. Pensei em me levantar e procurar a administração. Iria perguntar se existia um sistema de recados para surdos. Se não houvesse, moveria um processo contra o Estado. Um absurdo isso. Luciene é surda, está com a mãe morta e não pode receber a notícia porque o Estado desconsidera o fato de que nem todas as pessoas estão possibilitadas a identificar os recados do sistema de som. Resolvi esperar um pouco mais. A tensão aumentava dentro de mim.

Queria ser política naquela hora. Realizaria justiça em favor dos deficientes deste mundo. Como deve ser triste ser surdo, meu Deus! Luciene era. Pobrezinha! Além de ter de roubar um trocadinho para comer um pastel, perder a mãe num momento de desobediência, é, por mal dos pecados, surda igual a uma porta. Cartaz de recados? Será que existe? Alguém andando pela rodoviária, ostentando uma notícia de morte em instrumento de comunicação dedicado aos surdos? Não sei se isso seria possível. Imaginei Luciene, surda, surdinha da silva, escutando o mesmo tanto que um chuchu, andando enquanto espera o horário de seu ônibus. Malinha nas mãos, grãos de areia provindos de Guarapari escondidos nas costuras dos bolsos externos, lugar onde a vizinha certamente guardava sapatos e chinelos. Luciene e grãos de areia, mala de pobre, passadores de cabelo, tudo envolvido numa surdez pavorosa, quase desumana.

Foi então que comecei a chorar. Olhava para os lados e pensava em voz alta: – Pelo amor de Deus Luciene, apareça para que eu lhe conte tudo bem devagar, minha filha! –. Muito melhor a leitura dos lábios de quem já está envolvido com sua dor, que o recado frio, mal escrito em cartolina branca com pincel vermelho, nas mãos de um funcionário mal-humorado da administração, que foi retirado às pressas do horário de almoço para resolver o seu problema.

– Dê as caras, criatura de Deus! Tenha ao menos a sensibilidade de desconfiar de que existe alguém precisando lhe encontrar! – falei entre dentes.

Um surdo deve estar sempre atento, observando o mundo das imagens, já que não tem acesso ao mundo dos sons.

Luciene. Quem seriam as irmãs de Luciene, meu Deus. Cláudia, Lucilene, Iolanda? Seriam portadoras de deficiência, assim como a irmã? A mãe de Luciene deve ter se casado com um primo-irmão. Não resistiu ao charme do primo garboso ou então foi falta de opção mesmo. Pobrezinha dessa velha! Morreu sem o carinho de Luciene, que certamente deve ser a filha mais devotada. Foi falta de sorte mesmo! Não estava acostumada a desobedecer. Deslize, descuido, pecado imperdoável.

Assim que Luciene chegasse em casa e deparasse com sua mãe morta certamente teria razões de sobra para uma crise fortíssima de consciência. O dinheiro do pastel, a privação que a velha sofrera de comer o macarrão sem a graça da carne moída; o último, prato, tudo soaria tão triste no coração de Luciene.

Eu não poderia continuar ali, parada. Teria de me dirigir ao guichê da Viação São Martinho e devolver a minha passagem. Não poderia deixar Luciene passar por tudo isso sozinha. Eu não teria coragem de pegar um ônibus, viajar para Santana do Meio só para visitar comadre Geralda, que estava se restabelecendo de uma cirurgia de cálculo renal. O que são pedras nos rins de Geralda perto da culpa de Luciene? Nada, absolutamente nada. Além do mais, Luciene era tão surda quanto as pedras dos rins de Geralda. Os procedimentos de sepultamento, as negociações na funerária, tudo escrito numa prancheta para que Luciene entenda? Deus me livre de precisar negociar com agente funerário escrevendo bilhetes em cartolinas. Eu mesma prepararia tudo para Luciene. – Fica aí, minha filha vou cuidar de tudo pra você! –, diria, tranqüilizando-a.

Faria umas duas ou três receitas de biscoito de polvilho para que Luciene servisse aos convidados. Convidados?

Não. Imagina, para velórios não carece ser convidado. É só chegar e chorar junto com a família.

Mais uma vez o recado. Ainda mais incisivo. – Luciene Aparecida da Silva, comparecer com urgência à Administração! – Meu coração quase saiu pela boca. No ímpeto, levantei-me sem pegar as minhas malas e resolvi procurar por Luciene. O primeiro lugar foi o banheiro. Nada. Nem um sinal de Luciene. Percorri as lojas. O que faria uma mocinha pobre, sem dinheiro, dentro de uma loja? Por um instante me esqueci de sua surdez e me pus a gritar o seu nome. – Luciene! – gritei ainda mais forte. – Luciene, pelo amor de Deus, sua mãe está morta, minha filha!

De nada adiantou o meu grito. As pessoas me olharam assustadas como se eu fosse uma criminosa. Olhei-as com desafio e confessei a razão de meu desatino. – Essa criatura precisa saber que a mãe está morta. É pra isso que a estão chamando no serviço de som, só que ela é surda. – Desabafei aos que me olhavam na razão do meu desespero. Aos poucos as pessoas começaram a se movimentar. Movimento de razão única, desejo coletivo: encontrar Luciene. A consternação era geral. Olhares que antes estavam tomados pela estranheza eram naquele momento tomados pela compaixão. Foi então que não contive o choro compulsivo. Misto de tristeza e emoção. Ver todo mundo ali mobilizado para encontrar Luciene só me fez pensar numa coisa: Meu Deus, como Luciene é amada por todos!

– Acalme-se, minha senhora! – solicitou-me, com ternura discrepante da farda grosseira que usava, um guarda municipal. – A senhora é parente dela? – perguntou-me com voz serena. – Somos muito amigas! – respondi sem perceber o que dizia. Por um instante uma secura tomou conta dos meus lábios. O que estava acontecendo comigo? O que eu tinha com a vida de Luciene?

De súbito, uma indignação ocupou-me por inteira! Enchi-me de ódio por Luciene e comecei a dizer baixinho para mim mesma: – Quer saber de uma coisa? Ela que morra de congestão com o pastel de carne de quinta categoria. Ela que passe o resto da vida na prisão de sua consciência infeliz. Ladra, ordinária. Se ela tivesse ficado em casa cuidando da mãe, eu já estaria no destino das pedras de comadre Geralda. Luciene! Que morra seca de tanto chorar de culpa! Quem mandou ir atrás de feriado prolongado? Bem-intencionada é que não estava, pois, se estivesse, não teria colocado os passadores de cabelo na bolsa. Na bolsa não tinha nenhum livrinho que evidenciasse a intenção de uma reza ou de uma leitura espiritual. Vai ver já tinha uns bailezinhos para ir com a prima, nesses lugares que não são reservados para moças de família. Ela que sofra até lhe doerem os ossos. Que tenha câimbra de tanto chorar. Que lhe falte sódio no organismo de tanto derramar lágrima!

Voltei ao meu banco, mais tranqüila. – Ainda bem que não devolvi minha passagem, e dentro de poucos minutos iria pegar o ônibus que me levaria ao destino de Geralda e suas pedras tão dolorosas! – pensei consolada e já querendo ficar esquecida de Luciene. O ônibus encostou. Entreguei minhas poucas coisas ao cobrador e fui procurar o meu assento. Prefiro janela porque tenho pavor de pensar em ficar abafada. Recostei minha cabeça no apoio do banco e fechei os olhos. Eu estava exaurida. Luciene esgotou todas as minhas forças.

Enquanto esperava, pude experimentar um silêncio que só era quebrado, vez ou outra, com o roçar das malas sendo colocadas no bagageiro. Aproveitei a ocasião e roguei a Deus que castigasse Luciene por sua displicência com sua mãe. Da reza passei a uma madorna, sono breve que me desligou do mundo.

De repente, quando eu já não esperava por mais nada senão o barulho do motor em funcionamento, a voz no alto-falante do sistema de som comunicou: – Margarete Conceição dos Santos, favor comparecer à sala da Administração. – Pronto! De súbito meu coração veio à boca, e juntamente com ele o inevitável pensamento: – Meu Deus, quem será essa tal de Margarete?

Amor de sol poente

O amor me alcançou quando ruíam os últimos pilares de minha vida. Era tarde de sexta-feira chuvosa e os odores vindos de meu forno à lenha anunciavam que a destreza dos meus braços ainda me permitia algum luxo.

Ele veio do mesmo jeito que a vida: sem razão. Bateu o pequeno portão da entrada e perguntou se eu estava precisando de alguém para roçar o gramado do jardim.

Pus minha atenção no seu jeito pausado de indagar e reparei a beleza que sua aparência rude conservava. Voz forte, tessitura costurada por fios de ouro, emprestando solenidade e respeito ao discurso tão cheio de simplicidade. Aquela voz tão impregnada de solenidade e reverência fez-me esquecer a secura de meu jardim concreto e desviou-me para um outro lugar também necessitado de cultivo.

O que é um jardim carecendo de cultivo, diante de uma outra forma de jardim, mais oculto e de floradas, que os olhos não enxergam? Esqueci o teor da fala e me detive no desenho da voz. Eu não tinha nenhuma intenção de dar jeito ao jardim. Havia em mim uma necessidade superior, uma terra mais sofrida de aridez e erva indesejada. Meu coração, terreno baldio, sem futuro, correspondência devolvida, endereçada ao remetente, ali, tão indefeso naquela hora, quis chamar atenção para si. Não vacilei. Tornei-me representante de sua fala, e sem medo de parecer-me oferecida, supliquei-lhe, declamando uma frase curta, mas tão cheia dos desejos de uma vida inteira. – Vem tornar-te o jardineiro de minha alma, ó forasteiro que me olhas! – E ele veio.

José. Só José. José sem sobrenome. Mas não precisava muito mais que isso. José já era o mundo que me faltava, o arado de que minhas terras necessitavam, a chuva que me foi ausente. Ele tinha vindo do interior. A mulher que lhe devotara amor e fidelidade havia morrido há seis anos. Ficou na roça até o dia em que o último filho se casou e seguiu seu rumo endereçado. Chegara à Calmaria da Serra e o primeiro lugar em que veio pedir ocupação foi na minha casa. Ocupou-se de mim, por meio de um desejo primário, prático, de ser o redentor de meu jardim tão condenado. A timidez das primeiras horas deu lugar a um homem forte, capaz de ser dono de tudo. E foi. Deitei-me com ele no mesmo instante em que ele sorriu diante de minha audácia poética. Mendiguei-lhe o serviço de minha jardinagem, e ele, desempregado, aceitou.

Não tínhamos mais o que perder. Não tínhamos muito o que ganhar. Despretensiosos e comovidos com a simplicidade daquela hora nós nos contratamos para o ofício do amor, que ameniza a dor de ser só. Eu era. Ele também.

A cidade inteira falou. Mariana Rodarte estava louca. Acolheu um andarilho em sua casa e o transformou num marido de uma hora para outra. A virgem de comunhão diária e caridades incessantes rendeu-se aos desatinos do amor tardio. Não me importa. Que fale o mundo inteiro a respeito de mim e de meu José!

Padre Arlindo indignou-se. Vez ou outra passava pela porta da minha casa ameaçando entrar. De certo pensava que seu olhar de gavião me aplicaria alguma culpa que me fizesse escorraçar o meu jardineiro de minha casa, assim como se escorraça o diabo que invade um corpo. Mal sabe o pobre ministro de Deus que seu olhar aparentemente de gavião não passa de um olhar de codorninha indefesa diante da faca.

Não quero culpa, não quero o padre e suas recomendações. O que quero é o José. Quero sua arte de falar manso tudo o que é grave. Quero o seu jeito rude de me amansar em dias de ansiedade, e de me fazer santa, mesmo quando o corpo todo parece pecar.

José é um enviado de Deus. Chegou quando minhas esperanças agonizavam no mesmo ritmo em que também agonizavam as vicissitudes das margaridas que resguardavam a entrada principal da casa. Eu comecei a morrer no jardim. Já não havia forças para o cuidado minucioso que a jardinagem requer. José chegou na hora certa. Esticou a cruz em direção ao demônio que me seduzia e o exorcizou de minha vida indefesa e precária.

Eu estou redimida por inteira. O final de minha vida é evidente, mas não tenho tempo para me ocupar disso. Meus olhos não se desviam. Presos no horizonte só querem morrer de tanto viver essa contradição tão bela e lancinante. Tenho um amor de poucos dias, mas é meu. O sol se porá; meu amor também. Enquanto ele não se põe eu ponho a mesa; delicio-me na certeza de saber-me indo, direcionando meus olhos no mesmo horizonte em que estão os olhos de José.

Meu amor não é manhã, é tarde. Não tardio, só tarde. Desculpe-me se não sei evidenciar a diferença. Eu só sei sentir, sem saber dizer. Não sei se estou doente. O que sei é que Deus invadiu a minha vida de alegrias inesperadas. Quando todas as previsões indicavam chuvas e fortes trovoadas, veio o vento sul soprando com leveza minha pequena gôndola imaginária. E pelos canais de minha Veneza inexistente empurrou-me para uma curva surpreendente e concedeu-me a graça de viver esse amor de sol poente.

De aço e de flores

Elviro não vale o feijão que come. Eu já disse que só estou com ele porque também não tenho um pingo de vergonha na cara. Eu não sei o que fazer. O amor que sinto por ele me cega.

Já vi traição, já vivi desprezo, fui humilhada em público e até esquecida por exatos dois meses na cama de um hospital, mas nada mudou dentro de mim.

Se eu considerar a conduta de Elviro, não me resta dúvida de que ele vai queimar no fogo do inferno. É nessa hora que eu perco a vontade de rezar pela minha salvação. Não sei se quero o paraíso sem Elviro. Caminhar pelos jardins do céu sem as mãos de Elviro segurando as minhas? Não sei se quero. O que sei é que a eternidade é coisa que me assusta. E se eu não gostar do céu? Teria de passar o resto do tempo reclamando sem palavras? Mas na eternidade não há tempo. Não gostar do céu já é uma forma de estar no inferno! Estou certa? Não sei. Só sei é que Elviro queimará no tacho de enxofre, o principal, e disso não tenho dúvidas. Só não sei se quero deixá-lo sozinho nesse momento. Aliás, não sei o que quero. Querer sem decifrar é querer dobrado, multiplicado.

Elviro entrou na minha vida pelo poder da força. Nunca me disse uma palavra de carinho. E mesmo assim eu o amo com devoção. Odeio também. Amo e odeio, tudo ao mesmo tempo. Amor e ódio. Não sei distinguir essas duas vielas. São paralelas. Olho para seu bigode, nervoso a gritar comigo e tenho vontade de mordê-lo como uma cadela, até matá-lo. Mas no mesmo instante, o desejo é de colocar-lhe fraldas, como se ele fosse uma criança necessitada de colo, e levá-lo para passear na praça da matriz, num carrinho de bebê.

A arquitetura da minha alma é barroca. Sou fraca, sou forte, sou luz e sou sombra. Sou de aço, sou de flores e foi Elviro quem me desenhou assim. Niemeyer desenhou Brasília. Elviro desenhou a mim. O grande problema é que ele me fez a lápis. Tenho medo de que, tomado por um gesto de fúria, ele me apague de vez. A borracha ele tem nas mãos, e meus riscos são frágeis. Sou de grafite, sou de barro. Sou bonita, sou marmota. Sou de lata, sou de ouro, sou catedral, sou capelinha.

Lutei a vida inteira querendo vencer os cordões que me separaram de meus territórios. Alienada, vivi como terreno que não pôde ser construído só porque servia de quintal para uma casa principal. Sou o quintal de Elviro. Ele, a casa da frente, o sobrado vistoso, o garbo do jardim, o telhado avermelhado de tão vivo e os umbrais que sugerem honrarias.

Sou a horta de couve, o lugar onde a cebolinha cresce para virar tempero na carne. Mas não costumo me queixar. Minha arquitetura é assinada por Elviro. Ele sabe tudo de mim. Ele, o *luthier* cheio de destreza, e eu, seu violino. Nos seus braços eu pio fino. O meu acorde é menor. Sou dissonante, mas só por dentro. Por fora ando na linha. Elviro não. Ele prefere o descarrilamento, o descontrole dos afetos.

Sou muito paciente. Ele não presta. Eu sei. Eu também não presto. Se prestasse já teria ido embora com minha mala de roupa. Não sei prestar. Ele me roubou de mim. Ordinário! Trancou meu coração na sua torre de porcelana e não tenho coragem de quebrá-la porque a acho bela demais para ser destruída. As prisões têm os seus deslumbres. Eu encontrei os meus. Um aperto malicioso no braço na porta da sala, um sorriso indecente em tardes de sábado, o cheiro de cansaço depois do amor e a pérola falsa que ele insistia em presentear-me, roubar-me e devolver-me. Ele não sabia que eu sabia. – Perdeu de novo? – perguntava. Eu mentia. Sabia que ele havia escondido e depois fingiria ter comprado outra. Sou uma mulher de presente único. Pretéritos mais-que-imperfeitos na conjugação dos meus desalentos.

Elviro não vale o que come. Olho suas calças tão cuidadas e fico pensando por onde andaram. Calças que lavo como se fossem vestes papais. Elas ali, no tanque, presas em minhas mãos, e depois, perdidas na multidão cujo nome não conheço. Isauras, Rosildas, Arletes. Não sei e não quero saber. Enquanto as calças estão em minhas mãos eu sou a dona do mundo. A vassala é rainha, ainda que por um instante.

Por vezes a conduta inesperada, o grito: – Não sou sua escrava! –. O grito dura pouco tempo. Uma meia dúzia de palavras miúdas de Elviro e já estou convencida de que devo morrer de amor por ele. Elviro sabe disso! Elviro sempre soube! Elviro sabe tudo. Ele me olha quando quer. E eu sempre deixei que fosse assim. Eu o quero sempre. Ele não. Amor de precariedades, mas amor. Há quem diga que não. Meu amor é barroco. Contrários que se encontram numa mesma quina de pilastra. O escuro no claro, a dor na fração de alegria e a linha reta na inconclusão da curva.

O céu é o destino dos mártires. E eu fui feita para o martírio. Mas há em mim uma confissão herética que me persegue dia e noite. Prefiro o inferno com Elviro ao céu sem o cretino. O que há de se fazer? O que há de se querer além do que possuo?

Esquisito demais. O amor é cego. Óculos não resolveriam o problema. É cegueira mesmo. Sem causa, sem solução. É diagnóstico que carrego na alma: sou condenada. Dizer-lhe que vá embora é o mesmo que me apunhalar o peito. Eu o aceito infiel, porque é o único jeito de tê-lo. Não posso rezar a novena que não sei. Não há memória que me reconduza a uma razão em que eu possa apoiar minhas mãos trêmulas. Meu coração apanhou demais a vida inteira e hoje não saberia viver sem essas batidas contrárias. Eu não tenho escadaria onde possa apoiar meus pés e fingir que espero por algum milagre. Não há nada que eu possa esperar de Elviro, senão a possibilidade do seu retornar todos os dias. Por vezes ele vem, por vezes não. Olhos atentos, mais que o comum. Lábios tão cheios de fúria, procurando em mim o que sempre foi dele. Proprietário, dono, guardião e capataz.

Quando ele vem, a noite inteira é de sono quebrado. Vê-lo dormir é ritual religioso. Velo o tempo que posso, o tempo que possuo. Quando ele não vem, a noite inteira de choro silencioso. Vela acesa contrastando a escuridão do quarto.

Quando ele vem, eu não durmo. Quando ele não vem, eu não durmo também. Vigílias por razões diversas. O amor é assim: contradição. O amor é barroco. Por vezes a dor, por vezes a sensação de vida que já é eterna.

Elviro é o pórtico do meu templo, ele mesmo, o autêntico e revelado, meu deus pagão. Rezo a ele constantemente para que tenha piedade de mim, e que não me abandone por nada nessa vida. Ele olha com desdém, como um rei ao seu súdito.

Já quis acender vela de sete dias. Implorar para que Deus fizesse o impossível: libertar-me desse Egito. Mas o sopro ficou pronto na boca, antes mesmo que o pavio fosse aceso.

Restam-me as cebolas, o mar vermelho sem abertura e a praga de gafanhotos que vivem rondando minha casa e meu marido. Gafanhotos fêmeos, de saltos altos e tinta nos cabelos.

O recurso viável é prender-me na consolação que os beijos me trazem. Beijos de muitas, mas não importa. Porto-me como se fosse única, a eleita, a rainha coroada.

Um pavio queimando cera não conserta conduta de homem infiel. Melhor seria se houvesse reza forte para curar amor de mulher. Quem sabe assim eu poria fogo nas calças de Elviro, em vez de perfumá-las. Quem sabe salgaria o seu feijão com minhas lágrimas e o privaria de seu prazer no meio do dia.

Quem sabe assim eu sairia de casa, batendo portas e gritando desaforos cheios de voz e expressão. Mas não. Deixo assim. O bule de café sempre pronto, a xícara sem plumas de panos de prato, a mesa posta, o cordeiro com alecrim, os sabores de Elviro.

Eu sou barroca. Elviro é gótico. A beleza dele é minha inveja, e a minha devotada fidelidade é seu cabresto. Elviro não sabe que sei, e às vezes me esqueço disso, mas Elviro é meu cão. Sarnento, pulguento e vira-lata, mas é meu. Tenho a coleira, mas não a ponho. Cachorro vira-lata não sabe viver no cativeiro. Eu deixo que ele vá quando quer, porque sei que ele volta. E quando volta há sempre uma ração de amor preparada. Ração farta, vigorosa, substanciosa.

Elviro está acabando com os meus dias de vida, mas o meu pote de ração eu não deixo esvaziar nunca. Sou de aço, não quebro fácil.

Este livro foi impresso pela
Prol Gráfica em papel *offset* 75 g.